KB187028

푸코,
비트겐슈타인

프레데리크 그로 · 아널드 데이비슨 엮음
심재원 옮김

푸코, 비트겐슈타인

Foucault, Wittgenstein: de possibles rencontres

필로소픽

목차

머리말

이 책은 푸코와 비트겐슈타인이라는 현대 사상의 거대한 두 전거를 맞세우고 비교하며 상생시키기 위해 기획되었다. 비록 두 철학자 사이에 직접적인 영향 관계를 가정하는 것이 말도 안 되는 이야기일 수 있지만 말이다. 푸코는 비트겐슈타인의 글을 거의 읽지 않았다. 겨우 두세 번, 그것도 넌지시 그의 말을 인용했을 뿐이다.

두 인물은 20세기 철학사의 '아이콘'이라는 공통점을 지닌다. 달리 말하여 다른 철학자들처럼 일군의 정의된 언표와 일정 수의 독특한 개념들을 철학적으로 제시하는 것 이상으로, 푸코와 비트겐슈타인은 그들 스스로가 일종의 아이콘으로서 어떤 인물됨이나 사유 양식, 실존적 실천 방식들을 나타내고 있는 것이다.

우리는 또한 두 철학자가 때로는 은근히 때로는 노골적으로 거침없이 전통 철학을 비판하는 태도를 어렵지 않게 발견할 수 있다. (여기서 전통 철학이란 연구하거나 논평하고 정정하기에 적합할 지식 체계의 총체를 말한다.) 그런데 이렇게 고전 철학을 극복하려는 푸코와 비트겐슈타인의 시도는 철학의 담론 외적 관점을 변형하고자 하는 윤리적 차원에서 수행된다.

우리는 두 철학자에게서 공통된 언표가 아니라 공통된 태도를 찾아낼 수 있을 것이다. 푸코와 비트겐슈타인의 공통점은 바로 도덕철학의 한 관념, 즉 이런 저런 방식으로 행하는 행위의 근거들을 연역적으로 제시하는 교의에 반대하는 태도이다. 우리는 이 태도를 일종의 세계관으로 혹은 영혼 돌보기 기술로 이해할 수 있을 텐데, 어떻게 이해하든 중요한 점은 푸코와 비트겐슈타인에게 윤리는 도덕적 '의무'가 아니라는 것이다.

그뿐 아니라 우리는 두 철학자가 '사유의 경험'을 중요하게 다루었다는 사실에 크게 주목할 수 있다. 이를 푸코는 "수직적 시선 regard vertical" 혹은 "하향적 시각vue plongeante"[1]이라 부르고, 비트겐슈타인은 "높은 곳"[2]에서의 사유라 불렀다. 비트겐슈타인은 이 사유를 통해 정신은 다른 실재로 향하지 않으면서도 미약하지만 통찰력 있게 수직으로 머무르며, 세계의 실재에서 눈을 떼지 않고 그 위로 분리되어 있다고도 하였다. 여기서 결정적인 것은 이 바라봄을 어떤 순수한 인식으로도 환원할 수 없다는 점이다. 왜냐하면 바로 이 바라봄을 통해 사유는 자신의 인지 역량이 아닌 자유를 경험하기 때문이다. 이렇게 바라본다는 것은 용기가 필요한 일이다. 우리는 비트겐슈타인과 푸코에게서 진리의 윤리적 뿌리로서 용기의 가치가 중요시되었음을 발견한다.

---

1 미셸 푸코, 《주체의 해석학*L'herméneutique du sujet*》(이하 HS), Gallimard/Seuil/Hautes Etudes, 2001, pp. 270-273.

2 "이제 내가 보기에는, 세계를 영원의 관점에서 포착하는 데에는 예술가의 작업 외에도 또 다른 것이 있다. 내가 믿는 바로는, 그것은 사유의 길이다. 그것은 말하자면 세계 위로 날아가, 세계를 있는 그대로 있게 한다 —세계를 위에서부터 비행(飛行) 중에 바라보면서." 루트비히 비트겐슈타인 지음, 이영철 옮김, 《문화와 가치》, 책세상, 2006, p. 34.

이 모든 점들은 이미 잘 알려져 있는 사실이며, 그들이 살아 있을 당시에도 논의된 적이 있다. 그러나 여전히 해결해야 할 가장 어려운 과제가 남아 있는데, 비트겐슈타인과 푸코를 동시에 연구한 우리 젊은 철학자들이 그것을 시도했다. 그것은 바로 우리 자신의 문제의식과의 연관을 염두에 두고 푸코와 비트겐슈타인의 사상이 언표들의 일반적 기술 및 체계적 담론의 수준에서 공명하도록 만드는 것이다. 다시 말해 비트겐슈타인과 푸코를 반反철학자로 만드는 것뿐만 아니라, 위대한 언어와 삶의 형식의 두 사상가들이 공유하는 지점과 서로 환원 불가능한 지점을 보여주는 것이다.

이 책은 고등사범학교ENS에서 현대 프랑스 철학 연구 국제센터CIEPFC의 후원으로 진행된 연구 발표회(2007년 6월 4일)의 결실이다.

아널드 데이비슨Arnold I. Davidson
(시카고 대학교와 피사 대학교)

프레데리크 그로Frédéric Gros
(파리12 대학교와 파리 정치대학교)

PART 1

언어 게임과 진리 게임

1장
푸코의 '연장통'과 비트겐슈타인: 미셸 푸코에게 '분석철학'은 존재하는가?

스테판 외스타슈(Stéphane Eustache)

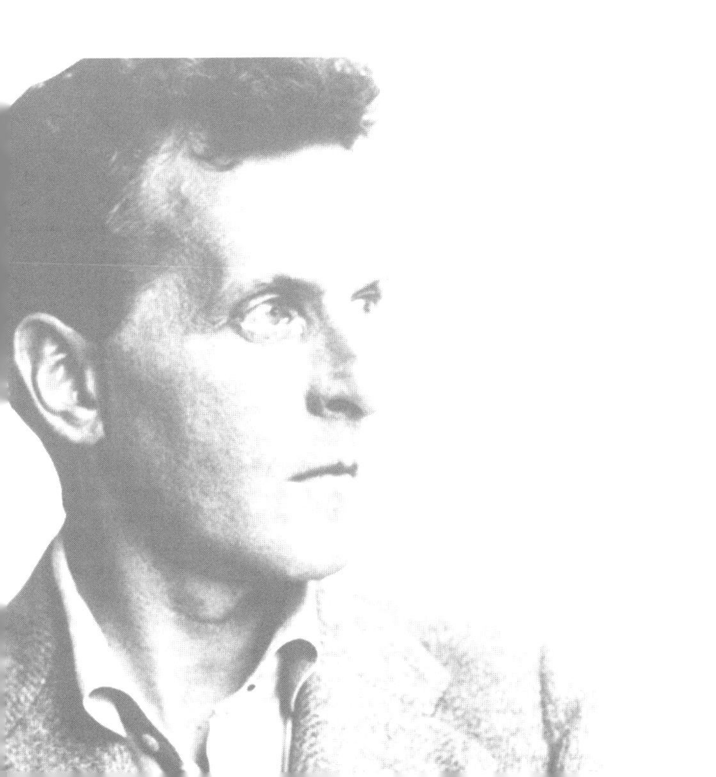

영미 분석철학에선 우리가 사물을 말하는 방식으로부터
사고의 비판적 분석을 하는 것이 중요하다.
나는 우리가 이와 동일한 방식으로, 권력 관계에서 일상적으로
일어나는 일을 분석하는 것을 임무로 할 철학을
상상할 수 있을 것이라고 생각한다.
이 권력 관계에서 무엇이 관건이고 목적인지
보여 주기를 시도할 철학 말이다.
이를 위해선 분석-정치철학이라는 것을 생각해야 한다.[1]

푸코의 단편들과 저작들엔 분석철학의 물증이 들어 있다. 미셸 푸코는 분석철학이 수많은 영역에서 야기한 전변轉變들을 가까이 따랐고, 이로부터 그 자신의 저술 작업 과정에서 확실한 영감을 받았

1 미셸 푸코 외, "La philosophie analytique du pouvoir", *Dits et Ecrits* tome Ⅲ : 1976-1979(이하 DE Ⅲ), Gallimard, 1994, n° 232.

기 때문이다. 그런데 '영감을 받았다'거나 '영향을 받았음'은 철학적으로 무엇을 의미하는가? 영미 철학이 유럽 대륙(특히 프랑스) 철학에 가했던 충격을 이렇게 수식修飾하는 것은 단순한 호칭이나 이 관계의 문헌학적 분석에만 만족할 위험이 있다. 그러나 여기선 맹목적 수렴이라는 있을 법하지 않은 현상 이상의 것, 즉 진정한 교류와 대립의 공간에 주목해야 할 것이다. 당연히 우리는 이 연구에서 이 질문의 복잡성을 다 파헤칠 의도는 없다. 우리는 철학적 만남의 가설을 푸코의 텍스트라는 관점에서 이해하기 쉽도록 만들 문제화의 축이 존재하는 정확한 탐구 영역을 선택할 것이다. 왜냐하면 사실 우리는 푸코의 텍스트가 비트겐슈타인의 텍스트와 유지해온 관계들 속에서, 특히 푸코가 일명 '정치철학'을 통해 옹호한 방법론적 선택들과 이론적 입장들을 이해하는 데에 필요한 열쇠를 찾길 원하기 때문이다. 우리는 이러한 관점에서 세 개의 가설을 연이어 검토할 것이다. 먼저 푸코의 철학이 분석철학자들에 의해 선언된 전제·거부와 명백히 일치하는가의 가설, 다음으로 어떤 공통된 분석 방법이 (몇몇 개념적 정비를 평균화하며) 새로운 탐구의 장을 향해 이전된다는 사실로부터 알 수 있는, 푸코와 비트겐슈타인 사이의 계통 가설, 마지막으로 두 저자가 각각 언어와 그 행위자를 이해할 때 보였던 대립의 가설이 그것이다. 따라서 우리는 푸코에서 비트겐슈타인으로 이르는 세 가지 가능한 흐름, 즉 일치, 계통 그리고 대립을 추적할 것이다. 이는 푸코가 비트겐슈타인을 읽으며 저지를 수도 있었을 해석상 오류들을 정정할 수 있다는 생각이 아니라, 푸코가 분석철학과의 대화와 삼투 그리고 차이화 게임의 프리즘을 통해 그 자신만의 철학적 정체성을 쌓아 올린 과정을 좇는다는 생각에서 출발한다.

1. 기술 방법: 분석철학에 근본적으로 빚짐, '고고학적 기술'의 창조

푸코가 분석철학에 빠져들고 접근했을 뿐만 아니라, 실제로 그가 분석철학에 의거했다는 가장 명백하고 분명한 지점에서부터 시작하자. 사실 방법론적 질문과 관련하여, 푸코가 분석철학자들에 빚졌다는 것은 그 스스로가 1970년대에 많은 강연과 대담에서 현대성과 쇄신의 징표로서 그들을 지목한 만큼 매우 뚜렷한 사실이다(실제로 분석철학은 영국과 미국에서 1950-1960년대에 분출하였다). 따라서 푸코 철학과 분석철학 사이의 관계를 질문하는 것은 뜬금없는 상상이 아니다. 오히려 그 반대이며, 푸코의 텍스트 자체가 요구하는 것이기도 하다. 이는 그가 이처럼 분석철학에 지속적으로 의거했다는 사실이 어떻게 해석되어야 하는지에 대한 앎의 문제를 더욱 급박하게 만든다. 우리는 이 대목에서 푸코가 분석철학의 아버지, 즉 루트비히 비트겐슈타인이 걸어온 길속에 새겨진 방법론적 개념들을 어떤 부분에서 사용했는지 살펴볼 것이다.

1) 논리적 전환: 연역주의적 설명의 거부

결론적으로 두 철학자는 그들의 탐구 방법에서 아주 중요한 기본 전제 하나를 공유한다. 그것은 바로 이 둘 모두 근본적 협약주의를 위하여 본질주의적이고 연역주의적인 설명 모델을 거부한다는 것이다. 논리적 연역이 타당하게 실행될 수 있다는 점을 일단 인정하면, 우리는 우선 어떤 기초적 공리들로부터 논리적 연역이 가능한가를 결정해야 한다. 출발점이자 가능 조건으로서 모든 연역은 모든 유도지誘導枝를 낳고 이것에 논리적 타당성을 부여할 절대적 진리체를 요구하기 때문이다. 그런데 이 최초의 공리들은 그 자체로는 증명될 수 없는데, 왜냐하면 모든 논리적 유도를 가능케 만드는 것이 바로 이 공리들이기 때문이다. 이 공리들의 고유성은 그것들의 절대성, 달리 말해 그것들을 논리적으로 증명하는 것이 불가능하다는 점에 있다. 따라서 다음과 같은 역설이 발생한다. 모든 논리적 연역의 뿌리에는 논리와 무관non logique하고 증명 불가능한 언표들이 존재하는데, 그렇다고 이 언표들이 비논리적illogique이진 않다는 점이다(그렇지 않으면 어떤 것도 최초의 공리로부터 논리적으로 유도되지 않을 것이기 때문이다). 이것은 매우 중요한 사실이다. 기초 공리를 너무 가볍게 여긴다면 모든 연역 계통수系統樹를 한낱 관성적이고 무가치한 논리의 숲으로 전락시킬 위험에 빠트리기 때문이다. 이것이 바로 푸코와 비트겐슈타인이 강조하는 점이다. 절대적 가치가 있는 진리체는 성립될 수 없는 것이다. 진리라는 것이 어떻게 절대적일 수 있겠는가? 다시 말해 어떻게 그 자체에 자신의 고유한 정당화를 내포할 수 있겠는가? 외재적 정당화가 없는 자율적 명제들은 존재하지 않는다. 이러한 정당화는 대부분의 경우 협약과 사회적 합의의 결과일 뿐이다. 이러한 명제들을 절대적인 것으로 제시하는 건 오류이다. 연역이 언어의 자연적 속성으로 위장된 언어적 협약의 결과이든, 인간학적 고정 상수의 흔적 아래 감춰진 역사적 상황의 산물이든 간에, 그것은 기초적인 사회적 사실성에 실증적 내용을 제공할 수 없다. 두 경우(논리적 연역과 인간학적 연역), 공리들의 보편적이고 선험적인 타당성이라는 개념 자체에 심각한 위기가 찾아온다. 심지어는 그 공리들로부터 선험적인 연역이 시초 진리들의 타당성을 역으로 심문하지도 않고 진행될 수도 있을 것이다.

비트겐슈타인의 언어철학은 이런 관점에서 우리 언어 협약의 협약적이지 않은 토대의 가능성을 부정한다. 이런 의미에서 일부 언어학자들은 마치 기호가 그것이 가리키는 지시체의 틀 안에서 유통되어야 하는 것처럼, 각각의 언어적 기호들이 자신이 표상하는 대상과 유지하는 자연적이고 필연적인 대응 관계를 고려하여 사용되는 것을 정당화해야 한다고 생각한다. 이는 잘 알려진 주장이다. 한편, 이는 우리가 강조하고 싶은 점인데, 다른 언어학자들은 기호가 마치 그것이 지닌 의미를 본떠야 했던 것처럼, 기호의 상징적 형식을 그 의미로부터 연역함으로써 기호의 자의성을 정당화하길 원한다. 따라서 이러한 주장은 언어적 협약들이 그것들의 담지자인 의미에 의해 결정된다고 본다. 그 결과 우리는 모든 언어적 기호에 앞서 논리적이고 계획적인 방식으로 '기호'가 아우르고 아우를 수 있을 의미들의 전체를 재발견할 수 있을 것임을 전제한다. 그런데 의미가 먼저이고 낱말들은 이를 가능한 한 최선으로 아니면 최소한으로 차별화된 방식으로 표현할 뿐이라고 생각하는 것은 분명 착각이다. 이것이 바로 비트겐슈타인이 《철학적 문법》에서 '의미체'라는 이름으로 가리킨 것이다. 비트겐슈타인은 우리가 입면체의 여러 면들 중 한 면만 보게 되는 것을 예로 들어, 정사각형의 면으로부터 입면체가 만들어진 규칙들, 혹은 프리즘이나 피라미드 등의 삼차원으로 가능한 다른 형태들의 규칙들을 연역해낼 수 없다는 사실을 강조한다. 중요한 것은 한 상징의 구성 규칙들로부터 다른 상징들로, 전자가 후자들의 한 측면으로 제시된다는 전제 하에, 연장하는 것이 불가능함을 인정하는 것이다. 오히려 이 새로운 상징들의 구성·사용 규칙들을 새로이 정의해야 할 것이다. 비트겐슈타인이 말한 것처럼 "우리는 이렇게 쉽게 비유할 수 있다. 낱말 '…이다'는 여러 경우에 그 앞에 서로 다른 의미체들을 갖는다. 예를 들면, 그것은 두 경우 모두 정사각형 모양의 표면이다. 한 번은 프리즘의 밑면으로, 다른 한 번은 피라미드의 밑면으로 말이다."[2]

실제로 의미는 언어적 협약들의 결과이지 이것들을 선험적으로 결정할 수 있는 것이 아니다. 연역적 추론으로는 우리의 언어 사용 규칙들을 그 규칙들에 선재先在하는 의미라는 이름하에 논리적으로 만들어낼 수 없다. '의미체'라는 주장은 낱말들의 상징적 형식뿐만 아니라 사용 규칙 또한 마찬가지로 **그 낱말들의** 의미에 의해 결정된다고 전제한다. 이런 의미에서, 언어의 모든 새로운 사용은 사용 규칙을 새롭게 적용하는 것이 아니라, 이를 새로운 대상에 그 특성을 고려하지 않고 단순히 병합하는 것일 터이다. 비트겐슈타인은 이러한 착각을 비난한다. 그에 따르면, 우리는 기호들이 그것

2 루트비히 비트겐슈타인, 《철학적 문법*Grammaire philosophique*》(이하 GP), Gallimard, 2001, p. 79

들 품에 내포하고 있을 의미로부터 기호들의 상징적 형식을 추론하길 바랄 수 없다. 한 낱말의 의미를 포착하기 위해서는, 그 반대로 우리가 가지고 있는 언어적 협약들의 형식과 내용을 연구해야지, 언어를 단지 시발시킬 뿐일 본질을 따라서는 안 된다.[3] 언어적 협약이 의미에 대하여 가지는 우위를 옹호함으로써, 비트겐슈타인은 낱말들을, 초감각적 세계의 에테르에 앉아 있는 절대진리Vérité 또는 절대기호Signe의 어두운 미스테리에 파묻힌 절대진리의 이차적이고 한정적인 받침대로 삼을 해석의 본질주의적인 개념화를 근본적으로 해체하는 데에 앞장선다.

푸코가 역사적 사실들에 대한 자신의 이해를 세운 것 또한 바로 이 거부에서다. 그에 따르면, 낱말들의 표면 뒤에 '의미'라는 이미 정해진 보물들을 상상하는 것을 억제할 수 없는 것처럼, 역사적 사실의 뒤에서 절대역사Histoire의 진행을 향한 발전 계획이나 진화론적 프로그램을 찾는 것은 더 이상 가능하지 않다. 푸코는 철학적 전통의 절대적인 개념들을 포기하면서, 모든 사건을 예측할 수 있거나 혹은 최소한 연속의 자연적이고 필연적인 연역주의적 연쇄 안에 후험적으로 삽입할 수 있다고 주장하는 역사 목적론의 헤겔-마르크스주의적 관념을 지지하지 않는다. 그리하여 그는 강단 마르크스주의의 '이데올로기'라는 개념 자체를 비판하기에 이른다. 이 개념에 의하면, 이데올로기는 주체들의 진리 추구를 방해하는

[3] 이에 대해서는 부정에 대한 다음 분석을 참고(GP, p. 77-78). "이는 마치 부정의 본질이 언어에서 이중 표현을 갖는 것과 같다. 내가 한 문장에서 부정 표현을 이해할 때 의미를 포착한 것과, 이 의미가 문법에서 갖는 결과들 말이다."

장막으로서 기능하는데, 실존의 경제적·정치적 조건들이 우리가 우리 자신이 착취당하는 상황을 의식하지 못하게 하는 수많은 장애물과 단층이 — 이것들이 우리의 무의식적 사고에 통합된 만큼 더욱 효과적으로 — 되도록 한다. 따라서 푸코가 실행한 뒤집기는 다음과 같다. 실존의 물질적인 조건들은 주체와 절대진리 사이의 장애가 아니라, 하나의 진리가 발명될 수 있을 부식토라는 것이다. 경제적·사회적 진리란 존재하지 않기에, 또 다른 수준(이데올로기적 수준)에서의 일련의 경제적·사회적 장애 또한 존재하지 않는다. 실제로, 진리란 의미의 상위 차원을 식별할 필요 없이 오로지 경제적·사회적 상황으로부터 존재할 뿐이다. 이런 관점에서 볼 때, 인간 또는 문명의 본성에 의해 만들어진 어떤 진리, 즉 중립적이고 비역사적인 진리의 존재를 가정하는 것은 오류이다. 1978년〈정치의 분석철학〉[4]이라는 제목의 발언에서 푸코는 철학이 역사의 숨겨진 진리를 드러낼 예언적 역할을 가지고 있다는 생각, 달리 말하여 어떤 진리로부터 역사적 사실에 대한 이해와 예측이 연역될 수 있을 것이라는 생각을 거부한다. 그가 지적하듯이 "과학의 역할이 우리가 보지 못하는 것을 알게 하는 것이라면, 철학의 역할은 우리가 보는 것을 보게 하는 것이다."[5]

따라서 이러저러한 진리의 발견이 우리에게 역사의 비역사적an-historique 구도를 드러낼 수도 있다는 의미에서 역사로부터의 연역이란 있을 수 없다. 그보다는 오히려 어떤 역사적 상황들의 존재

4 DE Ⅲ, n° 232.

5 상동.

조건들을 내재적인 방식으로 분석하는 것, 즉 어떤 것도 그렇게 존재하도록 결정할 수 없었던 개별 사건의 구성을 주재한 일련의 원인들을 밝히는 것이 중요하다. 그 어떤 것도 언어적 기호의 사용 규칙들을 사전에 결정할 수 없는 것과 마찬가지로, 그 어떤 것도 역사적 사건의 의미를 일방적으로 결정할 수 없다. 이 두 가지 경우에, 사회적·언어적 협약들은 의미를 절대적으로 토대 짓는 척하는 것이 아니라, 그 규칙들을 우연히 고정하는 데 만족하며 의미를 완결하러 올 요소이다. 따라서 우리는, 언어의 기능 규칙이 가언적 연역에서 공리의 역할을 할 의미체로부터 연역될 수 없는 것과 마찬가지로, 역사적 사실의 실현과 해석 규칙 또한 역사의 영원하고 비역사적인 진리로부터 연역될 수 없다고 말할 수 있을 것이다. 이 두 가지 경우, 언어와 역사의 의미를 내재적으로 정의하고, 역사의 서술 문제를 심각하게 고려해야 할 필요가 있다.

또한 연역의 거부는 그 본질주의적 의도에 대한 의심뿐만 아니라, 근본적 협약주의에 우호적인 실증적 가정, 즉 언표들을 체계적으로 연역할 수 없는 상황의 동전의 뒷면이 되기도 한다. 설명의 문제화는 일단 기초 공리들에 대한 세밀한 연구가 실행되고 나면, 마치 기계처럼 자신이 만들어낸 산물의 타당성을 검토하지 않은 채 기능하고 결과를 내는 연역주의 논리에 주어진 절대적 신뢰를 의문시하는 것이다. 왜냐하면 연역 논리의 기본 규칙은 다음과 같기 때문이다. "전제들이 일단 수용되고 나면, 결론들은 타당할 수밖에 없다." 그런데 비트겐슈타인은 언어 연구와 관련하여 이러한 관점이 착각임을 보여주고자 노력하였다. 그에 따르면, 우리는 자신들 사이에서 언어적 협약들을 연결시키는 논리적 규칙들이 마치 내재적 타당성의 담지자인 것처럼 정당화된다고 고려할 수 없다. 정확히 말해, 오류는 비트겐슈타인이 옹호한 협약주의의 근본성을 이해하지 못함에 있다. 낱말들의 의미는 언어적 협약의 결과이며, 이들에 대한 조작이나 언어적 협약에서 파생된 논리적 규칙들 또한 마찬가지로 언어적 협약의 결과이다. 비트겐슈타인은《철학적 문법》에서 이러한 착각 속에서 자크 부브레스가 '규칙체Regelskörper'[6]라 부르는 것의 존재에 대한 믿음, 즉 임의적으로 선택된 것이 아니라 그 자체로 논리적 타당성을 가질 논리적 규칙체의 존재에 대한 믿음을 본다. 근본적으로 비트겐슈타인은 모든 의미 결정이 어떤 협약에서 비롯되며, 모든 협약들은 명백히 그 모두가 동시에 받아들여지진 않을지라도, 그 어떤 규칙도 우리가 현재 가지고 있는 개념에서 무의식적으로나 잠재적으로 존재한다고 가정될 수 없기 때문에 동시에 성립된 것으로 간주되어야 한다고 말한다. 그러므로 논리적 규칙은 언어적 협약 자체 이전에 존재할 수 없다.[7] 크리스핀 라이트가 지적하는 것처럼 이 사례는 '논리적 귀결 관계의 비-객관성'에 대한 주장을 보여준다.[8] 그럼에도 불구하고 일종의 순

---

6 자크 부브레스Jacques Bouveresse, "La force de la règle", *Wittgenstein et l'invention de la nécessité*, Editions de minuit, 1987, p. 33.

7 비협약적인 논리적 규칙들의 존재에 대한 이러한 거부를 보강하기 위해, 우리는 부브레스가 그의 참고서에서 취한, 비트겐슈타인의 예를 검토할 수 있다. 다음과 같은 예가 있다고 하자. 두 함수 (Ex)f(x)와 f(a)가 있고 (Ex)f(x)는 f(a)로부터 연역될 수 있다고 하자. 연역주의 논리학자는 올바른 방식으로 f(a)에서 (Ex)f(x)로 넘어가 (Ex)f(x)가 f(a)를 뒤따르기를 허용할 논리적 연역 규칙이 있다고 설정한다. 그런데 실제로, 우리는 논리적 연역 규칙을 동시에 설정하지 않고서는 (Ex)(fx)를 설정할 수 없다. 따라서 착각이란 우리가 (Ex)(fx)를 설정하고, 이후 논리적 관계가 발견될 수 있는 것처럼, 논리적 연역 규칙의 존재를 연역할 수 있다고 믿는 것일 터이다. 실제로는, 논리적 규칙이 최우선이고 (Ex)f(x)는 이것에 의해서만 존재한다(자크 부브레스, 앞의 책, pp. 26-28 참고).

수한 협약으로 간주되는 논리적 귀결의 객관성의 부재가 필연적으로 무정부주의적 부조리가 되는 것은 아니다. 부브레스는 다음과 같이 말했다. "논리적 귀결 관계는 원칙적으로 어떤 귀결들은 어떤 명제들로부터 논리적으로 연역될 수 있다는 의미에서, 주관적이지 않음이 확실하다. 논리적 귀결 관계의 비-객관성은 단순히, 우리가 사용하는 연역 규칙들을 그들로부터 독립적인 의미 사실들에 의거시키며 정당화하기를 희망할 수는 없음을 의미할 뿐이다."[9] 논리적 귀결 관계가 객관적이라면, 이는 사실상 연역이 외부로부터의, 항속에 이미 존재하는 의미의 명시일 뿐임을 전제할 터이다. 이런 의미에서 논리적 귀결 관계는 진리의 추출 도구인 동시에 이를 평가하기 위한 척도일 것이다. 그런데 솔 크립키의 표현을 빌리자면, 비트겐슈타인에겐 논리적 추론의 옹호자들에게 "회의적 도전"을 하는 것이 중요했다.[10]

논리적 연역의 힘을 거부한 점에서, 푸코는 역사결정주의를 비판하는 입장에 선다. 우리의 언어적 협약들 사이의 연결이라는 논리적 규칙들이 그 자체로 협약들의 협약으로서 구축되어야 하는 것과 마찬가지로, 역사적 사건들을 연구할 때 사용하는 도구들도 체계적 설명으로 그 풍부함을 소진시키지 않은 채 역사를 해석하기 위한 고성능의 연장일 뿐이다. 존재의 역사적 조건들을 분석하는 데 있어서, 푸코는 어떤 사회적 전변이나 정치적 사건을 결정하

8 크리스핀 라이트Crispin Wright, *Wittgenstein on the Foundations of Mathematics*, Harvard University Press, 1980, p. 392.; 자크 부브레스, 앞의 책, pp. 23-24.

9 자크 부브레스, 앞의 책, p. 24.

10 솔 크립키Saul Kripke, 《규칙과 사적 언어*Règle et langage privé*》, Seuil, 1996, p. 28.

는 요인으로 결코 한 가지 요소를 뽑아내지 않는다. 흔히 그 반대로, 모든 인과 과정은 원인들의 '묶음'의 결과이지 단 하나의 원인에서 나온 결과가 아니다(예를 들면, 광기나 성적 본능의 장치의 구성에서 말이다). 우리는 그 증거로 '장치'에 대한 푸코의 정의를 들고자 한다. 어떤 장치, 즉 지식과 권력의 복합체의 구성은 우리가 권력의 전반적 전략이 갖가지 국부적 전략들 사이에 항상 열려 있는 축적과 상보성의 결과임을 고려할 때 이해가 가능하다. 예를 들어, 노동자 계급의 도덕화는 교회 정책이나 노조와 경영진의 정치 또는 단순한 국가 정책만의 직접적인 결과가 아니다. 그것은 오히려 이 개별적인 고안자들에 의해 고안되고 실행된 갖가지 목표들 사이의 **복잡화**의 결과이다.

푸코는 1977년 〈미셸 푸코의 게임〉이라는 제목의 발표에서 법-의학 장치가 공유하고 있는 구성을 강조하는 한편, 어떻게 국부적으로 이질적인 전략들에 의해 법-의학적 치료술과 같은 교과목이 실행될 수 있었는지 설명한다.[11] 여기에는 세 주역이 상호 작용하는데, 그것은 바로 정신의학, 사법 경찰, 형사 사법이다. 정신의학은 경찰 개입권을 합법화하기 위해 위생 실무와 공공 안전에 대한 이론적 토대를 마련해야 했고, 역으로 경찰은 광기를 정신과 의사가 독점적으로 담당하는 대상으로 만들어야 했다. 따라서 우리는 이 두 주역 사이에 서로 득이 되는 두 개의 전략이 교차해 있다고 말할 수 있다. 그 결과 경찰은 전례 없는 감시권監視權을 획득

11 DE Ⅲ, n° 296.

했고, 정신의학은 공식적인 학문으로 인정되었다. 이 장치의 세 번째 주역인 형사 사법은 투옥된 개인들에 대한 개입 수단을 갖추기 위해 정신의학을 필요로 했다. "감옥은 범죄자를 변화시키고 개선시키기 위해 개인의 개인성에 개입한다는 조건에서만 효율적으로 작동할 수 있었다." 이를 위해 정신의학은 이론적 지식이라는 이름 아래 교정 관찰과 감옥이라는 실행 방식을 마련하였다. 이 사례로 우리는 법-의학적 장치가 왜 **하나의** 정치적 주체의 의지로 환원될 수 없는지, 달리 말해 어떤 체계의 전반적 열쇠로서 고안된 유일한 의도의 언표로 환원될 수 없는지 알아차릴 수 있다. 이러한 관점에서 한 장치는 논리적으로 연역될 수 없다. 하나의 식별 가능한 원인과 그 원인에 직접적인 책임을 물을 수 있는 결과들이 있을 것이라는 의미가 성립하지 않기 때문이다. 단지 원인들의 **연쇄** nexus만이 있을 뿐이다. 따라서 우리가 역사적 사실의 상태를 논리적으로 분석할 수 있을 체계적 규칙들은 없고, 오히려 **누구도**, 그 어떤 **체계도** 진정으로 갖추고 있지 않은 공동 언표에서 최종적으로 결정화되기 위해 상호 조정된 일련의 전략들이 있을 뿐이다. 게다가 푸코에 따르면 관찰된 규칙성들 전체는 역사적 자료들의 연구로부터 완성되었다. 따라서 우리는 한 장치의 기능을 그것의 본질적 특성들로부터 연역할 수 없고, 이 장치의 기능 규칙들을 역사적 자료들의 관찰로부터 귀납한다. 달리 말하여, 한 장치의 기능 규칙들은 오로지 **이** 장치에 대해서만 가치가 있고 이 규칙들로부터 연역될 다른 장치들의 출현을 예견하는 데 쓰일 수 없다. 이것이 바로 우리가 한 기호의 사용 규칙들이 이 기호에만 그리고 잘 정의된 정황 속에서만 가치가 있음에 주의했을 때, 비트겐슈타인의 주장에서 지적하려 했던 것이다. 모든 연장과 이전은 전례 없는 정황들과 관련하여 이러한 규칙들의 다시 쓰기를 필요로 한다. 따라서 우리는 우리의 언어적 협약의 연역에 객관적 발판을 제공해 줄 언어 기능의 논리적 규칙들이 없는 것과 마찬가지로, (연역의 패러다임에 따르면) 역사적 장치였던 것이나 미래의 다른 장치가 될 수 있을 것을 논리적으로 기술하기 위한 체계적인 통일성은 없다고 말할 수 있을 것이다.

2) 기술 방법

이러한 설명이 가지는 이중적 특성의 긍정적인 이면은 기술記述 방법의 완성에 있다. 두 저자에게 철학은 더 이상 언어나 역사의 비밀들을 드러내야 하는 것이 아닌, 이미 우리 눈앞에 있는 것을 기술하는 것을 임무로 한다. 비트겐슈타인도 푸코도 철학이 더 이상 '설명적'이길 원하지 않는다.[12] 그들에게 철학은 더 이상 이런저런 현상의 '이유'에 대해 심리학적 또는 철학적 설명을 구축할 필요 없이, 그 현상들을 기술하는 주석달기에 집중한다. 철학의 고유한 작업은 이미 알려지고 실험된 것에 노골적으로 관심을 갖는다. 우리는 《철학적 탐구》(이하 《탐구》)에서 다음과 같은 언표를 발견한다. "우리는 모든 설명을 물리치고 그 자리에 기술만을 놓아야 한다. […] 문제는 새로운 경험을 제시함으로써가 아니라, 우리가 오래전부터 알고 있던 것을 정돈함으로써 해결된다."[13]

---

12 비트겐슈타인의 유명한 말(GP, p. 94 참조): "나는 언어를 기술할 뿐, 아무것도 설명하지 않는다."

마찬가지로 푸코의 〈정치의 분석철학〉에서도 우리는 다음과 같은 표현을 발견할 수 있다. "영미 철학은 엄청난 자격을 박탈하거나 부여하는 대신에, 언어가 결코 속이지도 않고 계시적이지도 않다고 말하려 시도한다."[14]

더 이상 미지의 진리들에 대한 근거를 무조건적으로 마련하려는 게 이롭다고 전제해서는 안 되며, 철학의 윤리적 소명은 오히려 이론적 문제들과 이미 존재하는 세력 관계를 새롭게 조명하기를 시도하는 것이다. 푸코에게 권력 관계, 적들의 전략, 전술, 저항을 기술하는 것은 권력의 문제를 선과 악이 아니라 존재와 관련해서 제기하는 것이다. 달리 말하여 좋음/나쁨, 합법/비합법, 덕/악덕이라는 짝들을, 그것의 정의와 역사적 기능의 문제로 대체하기 위해, 그 짝들의 권력에 대한 철학적 문제를 소생시키는 것이다. 비트겐슈타인에겐, 언어의 논리적이거나 비협약적인 근거 마련의 가설을 물리치는 것은, 언어적 협약의 기능의 생리학적 또는 심리학적인 설명의 장애를 제거하는 것과 마찬가지로, 철학을 이 협약의 사용과 기능 방식을 기술하는 데 만족하도록 하는 것이어야 한다.[15] 그러나 이러한 기술 방법이 역사적 혹은 언어적 실재를 있는 그대로 인정하는 간단하고 단순한 사실 확인으로 환원되지 않는다면 무엇을 의미하는가? 역사적 사실의 기술에 있어 언어적 사실 기술의 방법론적 도박이 가치가 있을 수 있다는 점을 어떻게 이해

13 루트비히 비트겐슈타인, 《철학적 탐구*Recherches philosophiques*》(이하 RP), Gallimard, 2014, p. 84.

14 DE Ⅲ, n° 232.

15 GP, p. 93.

할 것인가? 다시 말해 이 방법이 푸코의 철학 속에서 사용될 때, 과연 어떤 점에서 그 자체가 역사적으로 현학적이지 않되 특히 고고학적으로 효율적일 수 있는가?

푸코가 사용한 '기술記述'이라는 말의 의미를 보다 명확히 알기 위해, 《프랑스철학회보*Bulletin de la Société Française*》에 〈비판이란 무엇인가?〉라는 제목으로 발표된 1978년의 발언을 참조해보자. 이 텍스트에서 푸코는 기술 방법이란 그것이 분석적 탐구에 이로운 '설명'을 거부하는 데 우선적으로 의지함으로써만 이해 가능하고 풍요로워짐을 분명히 보여준다. 실제로 우리가 장치들의 실행에 대한 역사적 저항과 반대를 물리칠 수 있다면, 이는 그 장치들이 우선적으로 주어지지 않았음을 가리킨다. 따라서 분석은 그 대상의 자연적이고 필연적인 존재의 관념을 포기해야 한다. 마찬가지로, 그 작업은 역사에서 회귀하는 필연적인 지속들을 끌어내는 데 있지 않고, 오히려 그 반대이다. 기술이라는 작업은 사실상 그 속성이 느리고 어려웠던 독특성들, 유일한 체계들을 추출해내고자 한다. '역사-철학적' 진행 과정은 우리의 개념에 근본적 토대도 순수 형태도 없다는 가설을 받아들여야 한다. 달리 말하면 우리의 인식 능력과 인식의 산물들은 전부 역사적 생산물임을 단언해야 한다. 이처럼 철학의 임무는 개념들이 어떻게 근본적인지를 설명하는 데도, 이 개념들로부터 연역을 수행하는 데도 있지 않을 것이고, 독특성과 규칙성의 '기술'에 만족할 것이다. 그렇다면 기술이란 무엇을 의미하는가? '기술'은 객관성에 있어 논의의 여지가 없는 사실들을 있는 그대로 단순히 녹취하는 작업으로 철학적 작업을 환원시키길 추구하지 않는다. 오히려 그 반대로, 우리는 기술의 개념을 **이 용어의 분석적인 의미에서** 취할 필요가 있다. 기술은 두 번에 걸쳐, 즉 연구 대상을 창조하고 그 대상에 대한 고유한 연구를 하는 데서 이루어진다.

먼저 기술되고 분석될 대상은 역사의 질료가 아니라, 역사적 사건들에 대한 **개별적** 독해, 이 사건들이 가지는 특수한 관건들의 **독특한** 배열일 것이다. 그 대상들을 실제적으로 기술하는 게 가능하길 원한다고 해서 그것이 바로 기술이 그 대상들에 고정됨을 함축하지는 않는다. 가장 중요한 목적은 역사의 일반적 맥락 안에서 새로운 측면들을 드러내기에 충분할 정도로 역사적 자료들을 조작하는 것이다. 그렇다면 **기술적 내재**immanence descriptive의 의미를 명확히 하는 것이 중요하다. 기술적 내재는 역사적 문서고의 견고함으로부터 재론된 문제들에 대한 참신한 해석의 관점을 이끌어내는 것을 요구한다. 이 작업은 문서고 자체의 재조직과 다시 쓰기를 통해서만 행해질 수 있다. 잊힌 문서고들의 순수하고 깨끗한 밑바탕을 재발견하는 것이 아니라, 현재 문서고의 경전들을 새로 내보이기 위해 이들을 깨는 것이 필수적이다. 푸코에게 가장 중요한 것은 우리가 모든 기술에 있어서 역사적 사실과 문서고들의 해석학으로부터 결코 빠져나올 수 없다는 것, 즉 '즉자적으로 행해진fait-en-soi' 있을 법하지 않은 것 혹은 상상 속에서 존재할 법한 원原문서고에 결코 도달할 수 없다는 것을 유념하는 것이다. 따라서 '역사적 사실들'(아주 엄격히 말한다면, '역사적 사실들에 대한 해석들')은 해석학적 문제의 중심인 동시에 그 유일한 해답을 이루는 데 꼭 갖춰야 할 재료이다. 그것들은 분석의 기체基體인 동시에 새롭게 획득되어야 할 의미의 지표로서 기능한다. 따라서 분석의 사이클은 역사적 사실들에 대한 해석의 객관성을 항시 성찰하면서도, 이에 못지않게 현재의 위급한 문제들과 관련하여 과거의 얼굴을 끊임없이 리모델링하기 위한 시도, 혹은 어느 정도 우리의 역사적 객관성의 층위들을 개량하기 위한 시도로서 남아있다. 이로써 기술은 연구자에게 강력한 개념적 행동주의를 요구한다. 그는 현재를 진단해야 할 뿐만 아니라, 이에 비추어 과거의 사실들을 어떻게 문제화할 수 있는지를 기술해야 한다. 따라서 기술적 내재주의는 경험주의도 선험주의도 아니다. 이것은 역사적 현상들에서 새로운 측면들을 발견하려는 한에서 이 현상들에 고정되지 않으며, 선천적 개념들로부터 현상적 실재를 밝히는 것을 목표로 하지도 않는다. 실제로 내재주의는 현상들을 분석하고, 이를 통해 역으로 현상들을 재정의하는 새로운 개념들을 그것들의 안정성 속에서 직접 다듬는다. 이것이 정확히 우리가 **기술의 분석의 사이클**이라고 이해할 수 있는 것이다. 한 쪽엔 현상들이 다른 한 쪽엔 개념들이 있는 것이 아니라, 관계의 두 축이 하나로 환원될 수 없도록 현상과 개념들이 필연적으로 얽혀 있는 것이다. 이는 실재에 대한 경험적 분석도, 선험적 분석도 아니다. 말하자면 분석의 과정에서 분석의 결과가 분석된 대상과 다르지도 동일하지도 않은 채 파생에 의해 연속된다는 의미에서 푸코는 분석적 기술에 공을 들이는 것이다.

다음으로, 일단 이 대상이 내재적으로 구성된 후에는 분석이라는 것의 내용을 정의하는 것이 중요하다. 예를 들면, 기술 분석의 산물로서의 '장치'의 개념은 어떤 가치가 있는가? 이러한 관점에서, 푸코가 말하는 '사건성의 시험'에 의해 분리되었을 것에 대한 본질적인 분석은 또 한 번 일종의 연역 작업으로 이해되지 말아야 한다. 이는 마치 우리가 스스로 분리시켰던 장치의 본질에서 이 장치의 본질적 특성들을 파생시킬 수 있다는 것과 같다. 기술의 근본적인 특징은 기술할 고유한 대상을 보편성에서 구성하지 않는 데 있다. 즉 객관적이고 이론적인 어떤 견고함을, 그렇다고 해서 그 내용을 본질로 응결시키지 않은 채 분석 대상에 부여하는 것이 관건이다. 본질화라는 위험 부담에 대한 푸코의 해결책은 '장치'를 개념화하는 데 있다. 푸코에 따르면 만약 우리가 이 장치를 원인이 아닌 결과로서 고려한다면, 우리는 두 개의 안전 울타리를 제안할 수 있다. 첫 번째 울타리는 장치를 개인들과 집단들 사이의 **상호 작용 공간**으로서 정의하기, 달리 말하면 장치의 내부적 견고함을 인간 본성이 갖는 공통 구조나 사물의 본성이 아니라 변화 가능한 연결망과 상호작용의 네트워크에 있는 것으로 정의하기이다. 다음으로(두 번째 안전 울타리), 이 관계들의 구도는 단 하나만 있는 것이 아니며 여러 **형태의 상호 작용**이 존재한다. 이때 어떤 관계도 중심적이거나 전체적인 것으로 여겨지지 않고, 각각의 개별적인 관계가 다수의 관계들에 저항하거나 그것들을 거부하면서, 혹은 그것들에 속하거나 복종하면서 따른다. 이 상호작용의 공간은 지배적 중심점의 위성衛星으로서가 아니라, 오히려 거미줄과 같이 여러 개의 다소 합동적인 네트워크로 정리된다. 이처럼 분석되는 대상은 상호 작용의 공간으로서 아니면 상호 작용의 다수성으로서, 자신이 이해할 수 있게 만들고자 하는 역사적 자료들에, 그리고 그것이 밝히려는 실재에 내재하고 있다. 이는 변형과 전형을 그 고유한 구조에 통합하며 결합시키는 것이다. 우리가 지적한 대로, 최종 분석에서 분석의 사이클은 절대 닫히지 않는다. 그것은 항상 재개할 준비가 되어 있다.

이 방법이 그 연구 대상을 내재적으로 구성하길 진정 바란다면, 진단과 기술이 그로부터 언표될 수 있을 **관점**에서 본성의 문제는 미결인 채로 남는다. 분석이 실재에 고정되지 않은 채로 내재되어야 한다면, 이는 그것이 이로부터 실재가 보다 풍부하지 않으면 최소한 다르게는 드러날 독특한 영각迎角을 찾아야 한다는 것이다(영각이란 비행기가 날아가는 방향과 날개가 놓인 방향 사이의 각을 뜻한다. 이 각을 작게 하면 고속으로 비행할 수 있다 – 옮긴이 주). 만약 이러한 입장이 존재한다면, 그 속성들은 무엇인가? 우리는 여기서 주요한 특성 하나를 단번에 식별해낼 수 있다. 먼저 **일상**의 대상들과 관계된 것이다. 다른 관점에서 보면, 분석적 방법은 외양상 가장 친숙하고 가장 간단한 요소들을 이해 가능케 만들기를 추구한다. 우리는 여기서 푸코와 비트겐슈타인 사이의 본질적인 접근점을 붙잡게 된다. 푸코는 다음과 같이 강조한다. "영미 분석철학에선 우리가 사물을 말하는 방식으로부터 사고의 비판적 분석을 하는 것이 중요하다. 나는 우리가 이와 동일한 방식으로, 권력 관계에서 일상적으로 일어나는 일을 분석하는 것을 임무로 할 철학을 상상할 수 있을 것이라고 생각한다. 이 권력 관계에서 무엇이 관건이고 무엇이 목적인지 보여주기를 시도할 철학 말이다." 그는 계속해서 덧붙인다. "이를 위해선 분석-

정치철학이라는 것을 생각해야 한다."[16]

철학이 말과 역사에 감춰진 비밀을 드러내는 것을 더 이상 임무로 하지 않고, 하나의 체계적인 이론이 되기를 거부하기에, 그것은 자연스럽게 가장 공통적인 요소들로 방향을 돌린다. 이것이 바로 분석철학의 적자, 푸코가 사소한 외양의 측면에서 권력에 관심을 갖는 이유이다. 그에 따르면 권력은 그 전략이나 적들, 규칙과 함께 권력들의 게임으로서, 제도의 수준이 아닌 가장 낮고 가장 공통적인 수준에서 고려되어야 한다. 서양에서 정치권력의 특수성은 국부적 세력 관계의 우여곡절 속에서, 다시 말해 푸코가 '권력의 미시물리학'이라 명명하는 것에서 찾아져야 할 것이다. 이때 비판적 관찰자에겐 일상의 사소함이 일종의 경고로 울린다. 우리의 가장 일상적인 습관들에 언어나 권력 분석을 위한 가장 흥미로운 요소들이 깃들어 있는 것이다. 실제적인 분석 기술은 오로지 이 울림 속에 있을 뿐이다.

이렇게 이해된 기술 방법은 푸코가 분석철학에서 직접 차용했다고 말할 수 있을 분석 도구이다. 언어 분석에서 지식-권력 장치 분석으로 연구 대상은 확실히 변했으나 방법론은 같다. 이러한 관점에서 우리는 푸코의 작업들이 진정으로 분석철학의 작업들에 일치한다고 말할 수 있을 것이다. 이 일치는 충성의 행위 이상으로, 실제로 자신만의 이론들을 전개하기 위한 지지대이다. 사실 우리는 이제부터 이 차용의 결과들에 집중해야 한다. 비트겐슈타인

---

16 "la philosophie analytique du pouvoir", DE Ⅲ, n° 232.

의 언어 분석에서 푸코의 장치 분석으로 이어지는 데에 있어서 어떤 개념적 정비들이 불가피한지에 대해 말이다. 푸코가 비트겐슈타인과 분명 동일한 방법을 사용할지라도, 그는 이 개념들을 자신만의 분석 영역에 따라 정비해야 할 필요성에 부딪힌다. 비트겐슈타인에서 푸코로 이어지는 관계는 더 이상 단순히 명백한 일치 관계가 아니라, 각자가 결국은 그 자신의 고유한 자율성을 지킬 계통 관계이기도 하다.

2. 다른 연구 대상: 언어 모델의 권력 영역, '고고학적 기술'의 구성

위에서 우리는 푸코가 비트겐슈타인의 텍스트에서 개간되지 않은 상태로 머물러 있던 연구 경로들을 발전시키려던 것으로 보였다는 사실을 강조하려 하였다. 이 가설에 따르면, 푸코는 언어에 공들인 방법론적 원리들을 정치적 영역에 이전했을 것이다. 이는 비트겐슈타인이 결코 우리 인식 능력의 역사성에 대해 말하지 않았다거나, 역사의 모든 목적론적 개념화를 비난하지 않았다고 단언하는 것이 아니라, 그가 역사의 분석적 기술의 본질을 결코 긍정적으로 기술하지 않고 그 위험들을 **지시하려** 항상 노력했음을 강조하는 것을 의미한다.

1) 언어적 협약주의에서 인식의 역사성으로

우리는 협약주의와 역사성이 공리와 논리적 추론의 이론에 본질적인 두 지주였음을 확인할 수 있었다. 이제 이 두 개념이 설명이라는 공통 적수에 관해서가 아니라 각각의 개별적인 철학 체계 안에서 수행하는 개별적 역할을 포착하는 일이 남아있다. **언어 분석에 대한** 비트겐슈타인적 협약주의는 무엇을 가능케 하고, 우리는 어떤 점에서 그것을 푸코의 역사성이 **인식 분석에 대해** 가능케 하는 것에 접근시킬 수 있는가? 한 체계에서 다른 체계로, 우리는 기능의 **유비** 혹은 차라리 실제적 동일성을 밝혀낼 수 있는가? 간단히 말해, 문제는 다음과 같이 다시 표현될 수 있다. 과연 어디까지 우리는 푸코 자신이 분석철학에 요구하는 동일화를 밀고 나갈 수 있을 것인가?

비트겐슈타인이 주창한 협약주의는 실재와 논리적 추론들에 대해 언어를 자율화시키는 데 있는 근본적 혁명 작업을 수행한다. 철학적 문법은 어떤 개관概觀, synopsis을 설립하는 것을 목표로 한다. 즉 그것은 기호 사용 규칙들의 전체적 조망을 수립하길 원하는 것이다. 이 개관은 우리 협약들의 내부에 있는 질서의 탐색을 배제하지 않고, 언어의 표면에서 정돈하는 것으로 그치지 않는다. 오히려 그 반대로, 협약들 사이에 혈통의 연결망을 세우는 데 관계가 있다. 문법의 임무가 용례들 사이에서 유비들을 밝혀내는 것이라면, 이 깊숙한 질서는 인척 관계가 있는 낱말들의 가족 혹은 연결망의 관념과 동일한 것으로 간주된다. 이를 위해, 문법은 후천적 비교라는 수단을 동원할 것이다. 두 언어 기호를 비교하는 일은 비언어적이지만 언어 내부에 존재할 이상적인 척도의 영역과 언어 사이를 지나지 않는다. 따라서 하나의 동일한 기호가 비교항이나 피비교항에 무관하게 두 개의 역할을 할 수 있는 것이다. 용어들의 상호 교환 가능성, 달리 말하여 문법적으로 풍부한 유비는 더 이상 존재론에 의해 지지되는 은유가 아니다. 어떤 조화나 내적 관계의 흔적들이 그려지는 것은 바로 언어 게임의 후폭풍 속에서이다. 따라서 협약주의는 언어 기호들 사이의 상호 작용과 상호 수정의 공간을 구성하는 데 쓰이는 것이다. 우리는 이 관점의 지평에 언어의 놀이 개념이 위치해 있다고 말할 수 있을 것이다. 열린 게임이라는 하나의 공간 안에서 가변적이고 차이가 있는 정의로서의 게임 말이다.

푸코에게 인식의 역사성은 비트겐슈타인의 철학 체계 한가운데에서 협약주의가 차지하는 것과 유사한 자리를 점하는 것으로 보인다. 다시 말해, 역사성은 언어의 존재론이 아니라 인간 본성의 존재론을 거부하기 위한 도구라는 것이다. 1974년 푸코는 〈진리와 사법적 형식〉이라는 글에서, 주체는 비역사적이거나 선험적인 소여가 아니라 역사적으로 진화하는 산물임을 고려할 것을 제안한다. 주체는 역사 자체의 내부에서 완성되며 "매 순간 역사에 의해 세워지고 다시 세워"진다. 그렇다면, 전통적 존재론의 이 혁신에 걸려 있는 모든 관건은 "인식 주체의 역사적 구성을 사회적 실천의 일부인 일군의 전략으로 포착되는 담론을 통해 보여주는" 것이다. 이를 위해서는 서양 주체성의 다른 단층들을 지식-권력 장치의 계보학적 연구로부터 기술하는 것이 중요하다. 이러한 과정을 통해 주체의 '진리'는 사유 범주의 내부적 분석에서뿐만 아니라, 자신의 역사적 환경의 외부적 변형에서도 마찬가지로 구해질 수 있어야 한다. 달리 말해, 우리는 한편으로 내부에서의 진리의 역사를(정합적 체계에서의 진리 규칙들의 분석), 다른 한편으로 이를테면 **외부에서의 역사**라 할 수 있을, 최초 역사의 역사(진리는 어떻게 정합적 체계로 구성될 수 있었는가)를 가지고 있다. 전자는 사유 체계의 기능과 규제 절차를 연구 대상으로 하고, 후자는 이 체계들의 역사적 형성의 기제들을 대상으로 삼는다. 바로 이렇게 권력과 지식의 유희적인 성격이 규정되는 것이다. 이 요소들은 개인들이 그들 사이에 그리고 그들의 개념적·제도적 환경과 함께 상호 작용에 들어가는 만큼의 공간이다. 선험적 주체의 해체는 주체 구성의 역사적인 장, 서양적 주체성과 같은 무언가가 생성될 수 있었던 언어적·역사적 공간과 같은 장의 열림을 이끌어낸다.

이처럼 우리는 협약주의의 관념이 첫 번째 접근에서 두 철학적 체계 안에서의 역사성이라는 관념에 유사한 방식으로 기능한다는 것을 주목할 수 있다. 역사성이 지식-권력 쌍의 **유희적** 활성화를 허용하는 것처럼, 협약주의는 언어의 **유희적** 활성화를 허용한다. 그럼에도 불구하고 여기서 우리는 두 철학자 사이를 가깝게 하려고 했던 시도의 근본적 한계를 맞닥뜨린다. 협약주의와 역사성은 방법과 목적에서는 비슷할지라도, 결과에서는 달라진다. 이 차이가 정확히 어디에 있는가를 결정하는 일이 아직 남아있다. 이는 언어학에서 빌려온 방법이 지식-권력 장치의 장으로 이전되는 데 있어 필연적인 개념적 정비인가? 아니면 그들의 방법과 일반적 목적, 최소한 이론적 산출에서 이 두 철학을 적대적으로 만드는 근본적인 차이인가? 우리는 일차적으로 첫 번째 가설을 검토하고자 한다. 과연 어떠한 점에서 이 두 이론 사이의 주목할 만한 차이들이 그들의 서로 다른 분석 대상 사이의 (표면적) 차이에 기인하는가?

2) 게임의 개념: 언어 게임, 장치적 게임

앞서 우리는 하나의 근본적인 공통점을 살펴보았다. 두 이론 모두 개별적 분석 대상의 유희적 활성화를 창조하는 데 확실히 분주하다. 그럼에도 불구하고 과연 어떠한 점에서 두 이론이 권력 게임과 관련하여 각자의 독특한 특성을 가지는지 명확하게 구분해보자.

이와 관련해서는 비트겐슈타인의 저작 중 《탐구》의 68절에서 70절까지가 핵심이 된다. '게임'이라는 호칭 아래 다양한 사용 규칙들 사이의 많은 유사성 및 비유사성의 연결망들이 지적돼 있다. 비트겐슈타인에게 가장 중요한 것은 이 연결망들을 닫는 것이 아니라, 철학적 분석을 통해 이것들이 열매 맺도록 하는 것이다. 이것이 바로 67절의 가족에 대한 은유가 말하고 있는 모든 것이다. "나는 '가족 유사성'보다 이 유사성의 특징을 더 잘 표현하는 말을 생각해낼 수 없다. 가족 구성원 사이에는 다양한 유사성, 이를테면 체구, 용모, 눈의 색깔, 걸음걸이, 기질 등이 똑같은 방식으로 겹치고 엇갈려 있기 때문이다. — 그리고 나는 이렇게 말할 것이다: '게임들'은 하나의 가족을 형성한다."[17]

이처럼 어떤 우수한 게임이 그 양태들을 결정할 수 없도록, 한 게임에서 또 다른 게임으로 이어지는 세대의 과정이 존재한다. 언어에선 많은 조합이 가능하다. 철학의 임무는 이 결연 관계를 탐지

[17] RP. p. 64.

하고 계통 기준을 분리하며 이러한 언어 게임들을 세우는 것이다. 이처럼 언어의 유희적 활성화는 우리 언어 협약들의 일반적인 '개관'의 구성에 이르는 것이다. 이러한 일람표의 연장선에는 이러저러한 상황에서 이루어진 이러저러한 협약의 결정적 선택이 위치해 있다. 그럼에도 비트겐슈타인은《탐구》에서, 언어의 기능을 엄격한 협약들로 이루어진 일련의 원인들로 환원하기보다는, 각 언표의 맥락이 그 고유한 언어 규칙들을 항시 작동 중인 역학에 따라 산출하는 한에서, 탐구의 완전하고 최종적인 일람표의 불가능성을 인정하고 있다.

게임 개념에 대한 푸코적 접근 방식도 처음에는 이와 매우 유사한 것으로 보인다. 지식-권력 복합체의 유희적 활성화는 다른 장치들 사이에서, 그리고 각 장치 안에 권력 관계와 지식의 산출 기관들 사이의 차별적 정의 작업에 연결된다. 철학적 분석은 제도, 지식인, 정치 등과 같은 요소들 사이에 차이와 유사의 게임들을 세우길 목표로 한다. 이런 계산에서《지식의 고고학》에 나오는 '고고학적 기술'은 적어도 이론적으로는《탐구》의 개관적 기술에 가깝다. 권력 게임과 언어 게임의 파열되고 분열된 비전은 동일한 형식적 인상을 가질 것이고, 두 게임의 차이점은 오로지 개별적인 두 분석장(언어, 권력-지식)이 떨어져 있다는 점에서만 비롯될 것이다. **그런데 전자에서 후자로의 통과에서 준비되는 것은 단순히 대상을 이전移轉하는 것 이상이다.** 장치의 장으로 분석적 방법을 이전하는 것은 전자와 후자의 이론적 산출을 분명히 분리할 것을 요구한다. 이를 증명하기 위해 푸코가 말한 '장치'의 정확한 의미를 다시 살펴보자.

《성의 역사1: 앎의 의지》(이하《앎의 의지》)에서는 '성의 장치'라는 문제를 다루었다. 이 용어는 "담론, 제도, 건축적 배치, 규제적 결정, 법, 행정적 조치, 학술적·도덕적 언표 등"을 포함하는 이질적인 것들의 총체를 가리킨다. 본질적으로 이질적인 이 요소들 사이에는 연결 관계들이 성립되거나 해체된다. 정확히 말해, 장치의 게임은 영원히 상호 작용하는 상이한 요소들의 모임과 흩어짐에 있다. 1977년 〈미셸 푸코의 게임〉이라는 글에서 푸코가 설명하듯이 "어떤 게임처럼 위치의 변화나 기능의 변경이 있는데, 이것들 역시 아주 다를 수 있다." 게임의 지속과 견고함은 그것이 절박하게 위급할 때 가져오는 답의 질에 달려있다. 게임은 일종의 장치로서 전략적으로 작동해야 하고 그것이 요구하는 연결 관계들은 그것이 어떤 국부적인 문제에 의견 공동체를 조직하는 상태에 있을 것인 한 지속될 것이다. 따라서 한 장치에 의해 만들어진 연결된 게임들은 자신들이 가지고 있는 효율성 자체로 인하여 역사적으로 결정된다. 한 게임의 힘은 그것이 현재의 특수한 위기 상황과 얼마나 부합하느냐에 있다. 장치의 기원에서 우리는 두 개의 본질적 원리, '기능적 중층 결정'의 원리와 '전략적 채움'의 원리에 의해 지배되는 장치적 기제를 발견한다. 첫 번째 원리는 한 동일한 장치 안에 있는 요소들의 **상호** 결정을 강조한다. 장치는 각 요소에 고립적이거나 절대적으로 하나의 기능을 부여하는 것과는 달리, 체계가 차이와 유사함 속에서 자기 구조화하도록 내버려둔다. 그 결과 각 요소가 '공명이나 모순에' 들어가 기능적으로 상호 조정하도록 한다. 이 '기능적 중층 결정'은 한 장치를 불안정하고 지속적으로 움직이는 실재로 만드는 상호 정의의 위 게임을 가리킨다. 이로써 우리는 장치의 기능이, 수다한 국부적 균형들에 의해 전반적인 균형이 획득되는 유기체[18]의 기능과 닮았다고 말할 수 있을 것이다. 이러한 유기적 기능은 필연적으로 다른 기관들과의 의사소통망 안에서 유기체의 전체적 생존을 보장하기 위해 삽입된다. 장치 내부의 게임은 단일하고 정합적으로 기능해야 하는 다른 기관들 사이의 기능적 연결에서 실현되는 것이다. 두 번째로 '전략적 채움'의 원리란 어떤 장치는 그 자신의 고유한 실패들을 전략적으로 포위하고자 한다는 사실을 가치 있게 만드는 것이다. 왜냐하면 장치 내부의 절차나 제도들이 그것들이 원하는 것에 반하는 결과들을 얻어 목적 달성에 실패했다는 것은 장치 그 자체에게는 별로 중요치 않다. 장치는 '새로운 전략에서 의도되지 않은 부정적인 이 결과'를 즉시 다시 사용하려 한다. 장치의 고유성은 적응 기제의 도움을 받아 실재에 의지할 그 자체의 역량에 있다. 우리는 이 두 번째 원리가 장치적 게임의 개념을 정의하기 위해 유기체 은유에 생기론적 은유를 더한다고 말할 수 있을 것이다. 유기체 은유와 마찬가지로, 유기체 도식에 내부적이고 필수적인 기능적 변형들은 더 이상 중요하지 않으며, 생기론적 은유와 함께, 유기체와 환경 사이의 상호 작용에 의해 야기된 기능적 변형들이 중요한 것이다. 환경은 어느 정도까지 생기적 기능의 실현을 허용하는가, 유기체

[18] 우리는 이 유기체의 은유를, 푸코가 그에 대한 특정한 해석을 거부한다는 것을 알고는 있으나 그래도 제안하는 바이다. 따라서 이 은유는 이것에 엄격히 제한된 의미를 준다는 조건에서만 사용될 수 있을 것이다. 유기체로, 우리는 장치의 전체적 기능을 의미한다.

는 어느 정도로 그 환경에 성공적으로 의지하는가의 문제 말이다. 전통적 실체 존재론은 이 두 요소 덕분에, 이들의 개별적인 역학의 무게 아래 폭발하게 된다. 우리가 여전히 미셸 푸코의 저작에서 존재론에 관해 말해야 한다면, 그것은 바로 한편으론 영원한 재구성 과정에 있으며, 다른 한편으론 깊숙이 역사적인 존재론에 관한 것일 터이다.

우리는 이 두 은유를 통해 푸코의 사상에 전통적 존재론에 대한 근본적 거부와, 근본적 반-협약주의가 촉진되는 것에 대한 거부가 뒤얽혀 있음을 강조하려 했다. 왜냐하면 장치적 게임은 우리에게 언어의 개관적 게임보다 더 파열되거나 적어도 훨씬 더 불안정한 것으로 보이기 때문이고, 다른 한편으로는 장치적 게임의 연장선이 자의적인 언어 협약과의 동일화가 아니라, 이 협약들의 생성을 주재한 진정 실제적인 역사적 원인들의 묶음을 찾는 것이기 때문이다. 푸코의 텍스트들은 역사적 장치들의 본성을 규정하기 위해 협약적 독해를 제안하기는커녕, 그 장치들을 역사적 발생, 고고학과 연결된 계보학, 즉 현존하는 협약들의 존재에 동기를 부여하고 이를 설명하는 것을 목적으로 하는 일군의 날카로운 연구들과 관련해서 정의할 것을 권고한다. 이런 관점에서 푸코가 생각하는 게임의 개념은 장치의 규칙들이 누구에 의해서든(그것이 국부적 행위자라고 해도) 결정될 수 있다는 것뿐만 아니라, 그것들이 완전히 근거가 없을 수도 있다는 생각을 파괴하는 데 사용된다. 분명한 것은 푸코의 기술은 이 점에 대해 비트겐슈타인의 기술보다 덜 야심적이길 원한다는 것이다. 푸코의 기술은 한 장치의 기능을(첫 번째 원리) 보여주는 것뿐만 아니라, 그것이 변경되거나 유지되는 '**존재 조건들**'을 기술하기를(두 번째 원리) 추구한다. 이제 우리는 두 저자 사이의 모든 계통 관계를 망치지 않기 위해, 푸코가 도입한 이 발생적 받침대가 그의 연구 대상에만 한정된 요구일 뿐임을 증명할 수 있을 것이다. 협약주의의 거부는 절대적 분기점이 아니라, 주제적 이탈점일 것이다. 역으로 말해, 우리가 두 저자 사이에 적대점이 분명히 있다고 보길 원한다면, 이들 두 이론이 달라지는 분기점을 식별하는 것이 아니라, 이 분기점이 언어라는 동일한 지형에서 이루어진다는 걸 보는 것으로 충분할 것이다. 따라서 이제는 대립의 가설을 살펴볼 차례다.

3) 언어적 기호와 언표

이렇게 우리도 동일한 대상에 대해 발생한 불일치들을 비교하기 위한 지지점을 정확히 갖추게 되었다. 사실상 푸코는 장치에 대해 논하면서 가장 초보적인 수준에서 언어를 분석해야 했다. 그런데 언어의 분석적이고 논리적인 이해와 명백하게 구분되는 작업을 한 것이 아니라면, 《지식의 고고학》의 저자는 무엇을 한 것인가? 먼저 '언표'가 어떤 지점에서 언어 기호와 차별화되는지 연구하고, 다음으로 두 저자들 각각의 언어 이해가 어떻게 대립할 수 있는지 보자.

언표는 문장 혹은 언어 기호와는 분명히 다르다. 그렇다면 '언표'란 무엇인가? 우선 그것은 기호들이 언어적으로 타당하게 연속되어 있는 것이 아니라, 논리적, 문법적, 발화적 혹은 아주 간단히 말해서 언어적인 규칙체 안에서 의미를 가질 수 있는 기호들의 연속이다. **따라서 언표는 명명될 수 있는 언어적 단위들의 토대가 되는 재료**이고, 이러한 사실로부터 그것은 원초적 가능성 조건이 따르는 이상 새로운 단위를 구성하지 않고 이 모든 단위들을 가로지른다. 푸코가 쓴 것처럼, "언표는 여러 다른 요소들 가운데 한 요소, 일정한 분석 수준에서 탐지될 수 있는 단위라기보다는, 이 갖가지 단위들과의 관계 속에서 수직적으로 기능하는 하나의 기능인 것이다. 따라서 언표는 하나의 구조가 아니다. 그것은 그로부터 출발해 우리가 단위들이 의미가 있는가 없는가를 결정할 수 있는 존재의 기능이다."[19]

첫 번째 분석에 관해서, 두 저자는 직접적으로 대립할 만하지 않다. 이 둘 사이엔, 전면적 대립이 아니라 그저 분석 수준의 차이가 있을 것이다. 푸코는 언표의 분석은 **있는 그대로의** 언어적 기호의 분석을 배제하지 않으며, 언어에 관해 가능한 또 하나의 다른 조명을 제안할 뿐이라고 강조한다. 마치 반사축이 교차하지 않고 앞으로도 절대 교차하지도 않을 두 평행선처럼, 두 저자는 이론적으로 상호 무지한 것만 같다. 그럼에도 불구하고 우리의 가설은 이렇게 밝혀진 두 관점 사이의 관계가 꼭 그렇지만은 않다는 것이다. 실제로는 어떤 완전한 대립이 밝혀질 수도 있다. 왜냐하면 언표들의 기술은 언표들의 존재 조건의 기술이기 때문이다. 달리 말하면 언표를 기술하는 것은 (언표적) 기능의 기술, 네 가지 주요한 방향인 1)

19 미셸 푸코, 《지식의 고고학*L'archéologie du savoir*》(이하 AS), Gallimard, 1969, p. 115.

대상의 장 2)일군의 주관적 입장 3)일군의 개념 그리고 4)일군의 전략을 따라 개별적 정황에 기호의 집합들을 배치하는 것이다. 이러한 기술에서 발견되는 것은 그 의미와 기원이 갖는 새로운 층의 언표들이 아니라, 언표적 기능 실행의 장 그 자체이다. 따라서 언표는 낱말 집합과 텍스트들이 상호 작용에 들어가도록 하는 기능이다. 이 장이 (그 네 가지 차원에서) 일단 제한되고 나면, 언표의 (분석적) 기술에 걸린 모든 관건은 존재하는 기호 단위들의 전체에 공통적인 핵심을 되찾는 데 있는 것이 아니라, 기호들 사이의 차이들을 세심하게 기술하는 것에 있다. 이 차별적 분석이 바로 푸코가 '담론적 형성'이라 명명한 것의 내용이다. 따라서 언표의 기술은 그것이 거부하는 인과적 설명이 아니라면, 최소한 '존재 조건들'의 탐색에 이르게 되는데, 이는 비트겐슈타인의 언어 분석이 경시하는 데 그치지 않고 거부하려 한 것이다! 분석철학에서 언어의 기원은 집단적 협약의 결과이고, 따라서 분석은 그 기원들을 역사적 결정망 안에서 찾을 필요는 없다. 바로 여기서 푸코의 주장은 비트겐슈타인의 주장과 매우 근본적으로 구분된다. 우리는 여기서 두 관점이 서로 간에 무지한 결과를 볼 뿐만 아니라, 언어의 이론적 지형 자체에 관한 실제적 대립을 볼 수 있다. 우리의 가설이 계통화에서 대립으로 이동했을지라도, 이는 여전히 푸코가 비트겐슈타인과 다른 입장을 말한다는 유일한 조건에서만 확증될 수 있다. 달리 말해서, 진정한 전면적 대립이 있으려면 푸코가 비트겐슈타인에 반하는 입장을 취하는 경우가 여전히 남아있는 것이다. 일치의 가설과 계통의 가설을 살펴보았으니, 이제는 이 세 번째 가설을 검토하자.

3. 환원할 수 없는 불일치?
푸코와 비트겐슈타인 사이의 좁힐 수 없는 거리

1) 우리가 가진 개념들의 역사를 쓰는 것

푸코가 우리 인식 능력의 역사성이 분명히 존재한다는 것을 증명하려고 할 때, 언어 협약의 비협약적인 생성 원리를 제안하지 않았는가? (반면 비트겐슈타인은 언어적 협약 사이를 연결하는 규칙들이 비협약적인 의미가 있을 수 있다는 생각 자체에 이의를 제기하였다.) 푸코는 이 동일한 규칙들이 한 역사적 과정의 의미 있는 산물임을 암시하는 것처럼 보인다. 그렇다면 역사의 모든 두께를 현재적 의미로 살피는 개념들의 **계보학**이 언어의 간단한 기능적 기술을 대체한다. 이런 이유로 푸코는 자신의 방법과 목적을 정의하기 위해 더 이상 분석철학이 아닌 19세기 말의 독일 철학에 젖어들기 시작한다. 실제로 푸코의 계보학은 니체에 의거한 것이다. 푸코는 인간 본성의 역사성의 주장을 정식화하도록 자신을 이끌었던 철학적 유산들을 강조한다. 여기서 니체는 핵심 인물이다. (니체는 1873년의 글에서 다음과 같이 적지 않았던가. "수많은 태양계에서 쏟아 부은 별들로 반짝거리는 우주의 어느 외딴 곳에 언젠가 영리한 동물들이 인식이라는 것을 발명해낸 별이 하나 있었습니다. 그것은 '우주의 역사'에 있어 가장 의기충전하고 또 가장 기만적인 순간이었습니다.") 푸코가 관심을 가졌던 점은 다음과 같다. 하나는 본능과 인식 사이의 단절이고, 다른 하나는 인식과 사물 사이의 단절이다.

우선 인식은 독창적인 소여가 아니라 하나의 역사적 발명임을 주의해야 한다. (이에 대해 분명 니체는 인식의 '발명Erfindung'이라 적었지, 인식의 '기원Ursprun'이라 적지 않았다.) 인식의 역사는 목적론적이고 연역주의적인 도식에 따른 원인의 탐구여서는 안 된다. 우리는 이 개념화에 반하여, 인간의 실천과 능력의 우연적이고 만들어진 본성을 받아들여야 한다. 인식이 진정 우리 본능의 구조와 관계를 갖는다면, 이는 그것이 존재론적이고 필연적인 활성화로서가 아니라, 꼼꼼하고 우연적인 결과로서 관계를 갖는 것이다. 본능들의 게임으로부터 이들 사이에 균형이 획득되도록 인식과 같은 무언가가 만들어진 것이다. 푸코가 강조하는 것처럼, "인식은 토대로서, 근거로서 그리고 출발점으로서 본능을 가지나, 표면적으로 인식은 대립의 결과일 뿐이다." 인식이란 본능이라는 소여가 조직된 것인데, 이는 인식이 그 스스로가 조직하는 것에 의해 주어지지 않도록 하기 위해서이다. 선천적 조직이란 존재하지 않으며, 우리 본능의 역사적 배열이 있을 뿐이다.

두 번째로 인식과 인식 대상이 일치하지 않는다는 점에 주목해야 한다. 반反칸트적 관점에서, "경험의 조건과 경험의 대상의 조건이 완전히 이질적이라고 말해야 할 것이다." 우리가 "인식이 맞서 싸워야 하는 것은 바로 무질서하고, 연쇄와 형식이 없으며, 아름답지 않고, 지혜가 없으며, 부조화하고, 법이 없는 세계"라는 것을 고려하는 순간부터, 세계와 인식 사이에는 일종의 차이, 즉 불연속이 존재한다. 이러한 단절의 결과 인식과 실재 사이를 연결하고 응집하는 수행자는 더 이상 필요하지 않게 된다. 데카르트에서 칸트에 이르기까지, 신의 존재는 환상에 사로잡힌 요구, 즉 우리의 인식과 세계는 하나라는 가정에서 끌어낸 요구일 뿐이었다. 이 둘 사이의 불연속이 명백하다면, 신학은 사족이 된다. 분명히 니체에게서 차용했을 이러한 생각에서, 우리는 비트겐슈타인과 푸코 사이의 근본적인 단절의 축을 발견하게 된다. 그것은 바로 개념들의 계보학을 세우는 것이 중요하지, 주어진 상황과 사회에서 말하는 주체의 협약주의적 활동에 준거하는 것은 별로 중요하지 않다는 점이다. 주체가 자신의 맥락에 적응하는 역량을 강조하며 주체와 그의 맥락을 대면시키는 것과 푸코의 관점 사이에는 상당한 거리가 있다. (말하는 주체의 창조성은 전례 없는 언어적 상황에 맞서 항시 반응할 수 있는 그의 역량에 비추어 볼 때 실로 막대하다.) 그는 계보학적 관점에서 언표 맥락과 말하는 주체들의 공동체 또는 주체가 행한 선택들 사이의 연속성을 보여주길 애썼다. 그러나 아직 만족하기는 이르다. 전면적 대립이라는 우리의 가설은 여전히 또 다른 시험, 비트겐슈타인이 지명한 적들의 자리에 푸코가 앉아 있는지를 알아내는 시험을 통과해야 하기 때문이다.

2) 우리 인식 능력의 과학철학을 쓰는 것

비트겐슈타인은 《철학적 문법》에서 논리적이건 아니건 언어적 협약의 수립을 옹호하는 자들을 호되게 비난한다. 그런데 그런 조건이라면 푸코는 비트겐슈타인의 적수 명단에 오를 것 같지 않다. 개념들에 대해 항구적인 가치가 있는 계보학을 세울 수 없는 한에서는 말이다. 푸코의 야심은 분명 분석철학의 요구와 동떨어지는 것이지만, 이에 직접적으로 맞서진 않는다. 그는 **자신의 역사성을** 날카롭게 의식하고 있기 때문이다. 우리의 언어적 협약에 절대적인 근거를 제공할 영원한 의미는 존재할 수 없고, 날짜가 있는 역사적 의미들만이 있을 뿐이다. 따라서 우리는 전면적 대립이라는 가설을 측면적 대립의 가설로 완화해야 할 것이다. 왜냐하면 푸코의 텍스트에는 분석철학에 대한 도전이 아니라, **엄격한 의미에서** 비트겐슈타인의 영역에 일치하지도 대립하지도 않는 또 다른 연구 영역이 있기 때문이다. 이 가설을 위해 푸코가 계보학의 역사성 자체로 말하고자 한 것을 검토해보자.

분석의 결과물들에 언제나 소멸 시효가 있다는 착상 자체는 푸코의 사유에서 세 번째 영향의 결실이다. 푸코는 이러한 관점을 분석철학도 니체 철학도 아닌, 20세기 과학철학에서 차용했다. 푸코의 박사 학위 논문 심사자이자 《정상과 병리》의 저자인 조르주 캉길렘이 정의한 '과학철학적 관점'이란, 현재 **우리의 것**인 한 관점으로부터 정확히 어떻게 그리고 어떤 조건에서 개념들이 형성되었는지 알기를 추구하는 것이다.[20] 이처럼 과학철학은 하나의 이론이 아닌, 역사에서 취해진 요소들이 그로부터 특정한 **관점의** 의미를 획득할 관점을 정의한다. 반사 운동의 형성에 관한 연구에서, 캉길렘은 '개념들의 형성'(반사 운동, 괴물, 조절)을 강조했다. 개념은 그것만의 격자들을 따라 생물학적 실재를 생물학이나 물리학과 같은

---

[20] 조르주 캉길렘Georges Canguilhem, 《정상과 병리*Le normal et le pathologique*》, PUF, 1996.

경험 과학에서 이해되도록 만들기 위해 자르기를 허용하는 것이다. 개념적 분석의 고유성은 캉길렘적 의미에서 보자면, 그 타당성이 이론적일 뿐만 아니라 실제적인 효율성에 있을 추상적인 이론의 구축을 제안하는 데 있다. 왜냐하면, 이 실천적 효율성의 평가 기준은 이 과학이 그보다 경험적인 다른 과학들에 통합하는 역량에서 유지되기 때문이다. 따라서 우리는 개념과 과학철학적 관점이 동일한 이중적 평가 기준에 따라 기능한다고 말할 수 있다. 과학철학이 그 개념들을 통해 과학적 인식의 과거 생산 양식을 이해하기 쉽도록 만들고자 하는 것과 마찬가지로, 이 과학철학의 연구 대상인 동시에 그 분석 도구가 되는 개념들은 실재를 다른 과학들에 보다 이해 가능한 것으로 만들기 위한 비판적 이론 분석의 산물이다. 달리 말하여, '개념'이라는 개념의 과학철학적 비판은 연구 개념-대상에 그리고 연구 개념-도구에, 후자가 이후의 불연속에서 전자(사용된 개념)인 것이 되기에 이르는 한에서, 동일한 지위를 주기에 이른다. 이러한 분석은 두 가지 유형의 개념을 동일화하는 것이 아니라, 관점을 바꾸어(과학철학자의 관점에서 시간 t에서 또 다른 시간 t+1로 이동하며), 이들의 이론적 지위가 동일함을, 즉 사상사에서 마찬가지로 사라질 것임을 보여주는 데 귀착한다.

이처럼 인식의 철학적 문제는 생기론적 적응의 패러다임으로부터 다시 해석될 수 있다. 인식은 이를 깊숙이 토대 지으러 올 일련의 참인 공리의 작업이나 활용으로서 더 이상 제시되지 않고, 무엇보다도 실재에 맞선 적응과 내부 조절의 생기적 과정으로 정의된다. 이러한 관점에서 주체의 개념 또한 마찬가지로, 인식이 이미 성립된 능력과 진리의 활용이 아니라 생명에 대한 청원에 맞선 교정과 변형의 연속적인 작업인 한에서, 이용되는 것이다. 따라서 살아 있는 것의 철학은 데카르트적 또는 칸트적 주체로부터 근본적인 탈중심화를 수행한다. 이 주체의 이론적-실천적 토대는 더 이상 그 내부 능력의 분석에서만이 아니라, 그것을 둘러싼 환경으로의 삽입 양태에서 찾아져야 한다. 인식, 참, 거짓, 선, 악, 그리고 우리 행위와 사유의 방향을 결정짓는 이 모든 주요 개념들은 실재와의 근본적 상호 작용의 결과이므로, 독창적 인간 본성의 관념은 조금씩 지워지게 된다. 이러면서 과학철학자의 관점은 그 스스로도 철학적 분석을 요구했던 비역사적이고 중립적인 지위를 더 이상 주장할 수 없을 것이고, 자연적·사회적 환경에 대한 청원에 맞선 반응과 예견이라는 과정에 항시 개입될 것이다.

이러한 최종적인 고찰 끝에, 우리는 푸코와 비트겐슈타인 사이의 대립은 전면적인 것이 아니라 오히려 부정적임을 확인할 수 있었다. 푸코가 비트겐슈타인에 반대하는 편을 드는 것이라기보다는 그의 연구에서 동일한 관점에 해당하는 것이 아니라고 말하는 것이다. 우리는 두 저자 사이에 그들의 방법과 공통 목표에 비추어 하나의 계통을 찾도록 고무되었었다. 그런데 이 목표들은 대개 존재론을 거부하거나, 영원한 진리를 거부하거나, 논리적 환원주의를 거부하는 식으로 부정적이었다. 긍정적으로 생각하자면, 두 저자들은 그럼에도 불구하고 서로 동화될 수 없었다. 이는 그들이 평행선들이 그런 것처럼 서로를 몰랐다는 것이 아니라, 정확한 일정 지점에서 갈라진다는 것이다. 우리는 이 두 저자를 각자가 다른 길을 선택하게 되는 어떤 교차로까지 함께 유지할 수 있을 것이다. 최종적으로, 우리는 유일한 해답으로서 일치의 가설도, 계통의 가설도, 그렇다고 해서 대립의 가설도 유효하게 만들 수 없을 것이고, 단지 이 세 가설들 전부를 응결하는 단 하나의 가설로 모으기를 제안한다. 부득이하게도 우리는 이 통합 가설에 두 철학자 사이의 **달라짐** divergence, 즉 일치도 아니고 대립도 아닌 계통의 특수한 양태로서의 이름을 주고자 한다.

결론짓자면, 우리는 푸코와 비트겐슈타인 사이의 이 대면이 문헌학적 관점에서 푸코의 사유 속에 있는 분석적 영향의 지위를 밝히길 시도했다는 사실 외에도, 그 사유가 보여준 철학적 행보의 독특한 성격이 부각되도록 했다는 점을 강조할 수 있다. 미셸 푸코의 철학은 진정한 철학적 '입체교차로'와 닮았다. 다시 말해 푸코의 텍스트들은 칸트주의와 현상학의 경계에서, 분석철학과 과학철학의 가장 최신 발전까지, 다른 철학들의 연구 방법, 목적 그리고 영역을 차용하고 다시 자기 것으로 만들며 응축한다. 우리가 일치와 계통, 차이에 관해 진행했던 분석의 과정이 두 저자와 이들 각각의 철학 사이의 연결의 약화를 가정하도록 할 수 있다면, 이는 그 반대로 **푸코의 행보의 실증성**을 드러내는 것이기도 하다. 이 행보는 푸코가 비트겐슈타인에게 빌린 유명한 단어에 따르면 하나의 '연장통'이 되고자 하였다.[21] 철학이 가지고 있는 이 수행적 소명이 그가 다른

[21] 이와 관련하여 다음을 참고(GP, p. 94-95): "언어는 서로 아주 다른 도구들의 한 모음이다. 이 연장통에서 우리는 망치, 톱, 자, 연추, 풀 통과 풀을 발견한다. 많은 연장들이 형태와 용도에 따라 서로 친척

철학자들과 나누었던 대화와, 그들에게서 차용했거나 차이를 두었던 그의 생각을 읽을 수 있는 열쇠인 동시에 시금석이었음을 인정해야 한다.

이다. 우리는 또한 연장들을 그들의 혈통에 따라 대략 집단으로 분류할 수 있으나, 이 집단들 사이의 구별은 흔히 다소 자의적일 것이고, 다른 형태의 혈통들이 다시 갈리게 된다."

2장
비트겐슈타인과 푸코의 실천과 언어

루카 팔트리니에리(Luca Paltrinieri)

이 논문에서는 비트겐슈타인의 사유가 푸코의 사색과 연결되는 어떤 계통사를 재구성하거나, 그 영향의 윤곽을 정확히 다시 그리려고 하지는 않을 것이다. 물론 푸코가 비트겐슈타인의 철학 작업에 관해 알고 있었다는 사실을 증명하는 유명한 지표들은 많이 있다. 1959년 프랑스에 처음으로 비트겐슈타인의 사유를 도입했던 피에르 아도의 소론들[1]에 대해서는 알지 못했을 수 있지만, 푸코는 1966년과 1978년 사이에 스스로 비트겐슈타인을 그것도 여러 번 인용한다.[2] 그러나 이때 이루어진 인용들은 모두가 너무 일반적이다. 비트겐슈타인의 이름은 러셀, 오스틴 또는 스트로슨과 같은 다

1 피에르 아도Pierre Hadot 외, *Wittgenstein et les limites du langage*, Librairie Philosophique Vrin, 2004.

2 이에 대해서는 다음을 참고: 미셸 푸코 외, “L’homme est-il mort?”, “Sur les facons d’ecrire l’histoire”, “La verite et les formes juridiques”, *Dits et Ecrits* tome I: 1954-1975(이하 DE I), Gallimard, 2001, pp. 568-572, 613-628, 1406-1513.

른 사상가들의 이름 뒤에 단순히 딸려 나오곤 했는데, 그것도 일상 언어철학이나 언어 게임에 대한 작은 관심의 차원에서 그러한 것으로 보인다. 그런데 비트겐슈타인이 푸코에 직접적으로 영향을 미쳤다는 가설을 불신하는 또 다른 요소들이 있다. 첫째는 바로 오히려 칸트의 방식으로 과학적 지식의 가능성의 역사적 조건들을 드러내길 노리지만 분석철학의 결론에는 이질적인 푸코의 사색 스타일 자체이다. 두 번째는, 이러한 탐구와 관련됐던 고유한 의미에서의 과학들이 있다. 실제로 푸코는 수학에 전혀 관심이 없었다. 그는 오히려 아직 상위 수준의 형식화에 도달하지 못한 '미성숙한 학문', 정신의학에서 의학으로, 경제학에서 언어학으로, 즉 '인간과학'이라 말해지는 영역에 관심을 기울였다. 비판과 관련해서는 비트겐슈타인에 접근하기가 확실히 쉽지 않았을 것이다. 이는 '대륙' 철학계에서 이 오스트리아 철학자의 이미지를 오랫동안 결정해왔던 '신실증주의'의 영향 때문이다. 이 맥락에서만큼은, 비트겐슈타인의 철학에 호의적이었던 최초의 언급들이 푸코가 비판했던 해석학이나 현상학 같은 조류들(가다머나 리쾨르)에서 유래한다고 다시 한 번 덧붙여야 한다. 그 언급들은 당시 푸코에게 영감의 원천이 될 수 없었다. 따라서 선천적으로 그토록 서로 간에 거리가 먼 두 사상가 사이의 관계를 세우는 것은 척도의 변화를 함축한다. 비트겐슈타인의 철학이 푸코에게 필연적인 선례가 아니었다면, 차라리 일종의 동조나 **대응**correspondance이었다고 말하는 것이 적당할 것이다. 이는 아주 다른 사유의 전통에서 유래하여 마찬가지로 다른 영역에서 행사되는, 30년 정도의 격차를 가지고 도버 해협의 한 쪽에서 다른 쪽으로 건너가는 독립적인 사색들인 것이다. 그럼에도 서로 다른 스타일의 사유는 둘 다, 이것이 바로 우리가 주장하는 바인데, 인식의 표상주의적 모델의 비판에 근거를 둔, 매우 유사한 진리의 '구성적' 개념화라는 결론에 다다른다.

우리는 이 공조를 '시대정신'으로 환원시킴으로써 '설명할' 수 있을 것이라 생각하지 않는다. 단지 인용만 하자면 "실체적이라기보다는 마법적인" 개념들에 대한 푸코의 격렬한 비판들을 집단정신, 한 시대의 영향과 사고방식, "그 타당성이 이유를 따지지도 않고 애초부터 수용되는"[3] 모든 종합으로서 간주할 수는 없을 것이다. 슈펭글러의 역사적 방법론에 관해 그것의 비교 방법의 진가를 인정하면서도, 문명에 내재하는 의미를 찾아 패러다임의 '이념적' 속성들을 대상에 부여한다는 이유로 고발했던 비트겐슈타인의 비난을 생각해보자.[4] 그렇다면 그 반대로, "건물의 발치에서 베데커 여행 안내서에 빠져 그 정초의 역사를 읽느라 있는 그대로 건물을 **보지** 못하는 여행객들"[5]처럼 굴지 말기를 권고하는 비트겐슈타인의 말을 따라야 할 것이다. 달리 말하여, 나중에 확인하긴 하겠지만, 우리의 해석은 가족 유사성들이 그 증거가 될 '원인'이나 공통적인 본질을 포착하기보다는, 두 저자들 사이의 연결과 '가족 유사성' 자체를 볼 수 있다는 점에 근거하고 있다. 이러한 의미에서, 우리는 인식에 대한 두 개의 개별적인 사색들을 상호 조명할 수 있기

---

3 "Sur l'archeologie des sciences", "Foreword to the English Edition", DE I, pp. 729, 277 참고.

4 루트비히 비트겐슈타인, 《문화와 가치*Remarques Mêlées*》(이하 RM), TER, 1984, pp. 27, 41.

5 루트비히 비트겐슈타인, 앞의 책, p. 56.

를, 즉 **확실성**에 대한 비트겐슈타인적 해석이 푸코에서 '**지식**'과 같은 문제 개념을 밝힌다는 것을 보여주길 바란다. 반면에 우리가 보기에 푸코의 고고학적 방법은 비트겐슈타인의 글, 특히 그의 제자들의 글에 함축된 것으로 보이는 그의 작업의 차원을 조명하는 한편, 그 중요한 한 측면을 표상하고 있다.

데이비슨과 해킹의 연구 또한 바로 이러한 방향으로 이루어졌다. 이들은 비교적 최근에 발표된 몇몇 소론들에서 비트겐슈타인과 푸코의 작업을 대비하면서, 분석철학에서 다뤄진 개념들을 역사적으로 수정하고 이에 의거하여 지리적 및 시간적으로 제한된 맥락에서 이 개념들이 생성되었음을 강조했다.[6] 해킹의 말로 하자면, "인식론적 개념들은 단지 거기에 무시간적으로 있는, 불변의 자유로운 관념들이 아니라고" 증명하는 것이 중요하다.[7] 데이비슨에 대해서도 마찬가지로, 우리는 역사적 진화 속에서 형태를 가지게 되는 개념적 구조들을 그 역사적 진화들로부터 빼낼 수 없다. 비록 많은 분석철학자들이 마치 이 개념들을 여하한 실천의 밖에 존재하는 것처럼 다룰지라도, 개념들의 존재는 그것들이 내부에 모습을 드러내는 진리 게임, 그것들이 서로 맺는 관계들, 따라서 우리가 그것을 가지고 진정으로 할 수 있는 것에 달려 있다.[8] 푸코

---

6 아널드 데이비슨Arnold I. Davidson, *The Emergence of Sexuality Historical Epistemology and the Formation of Concepts*, Harvard UP, pp. 178-191; "Structures and Strategies of Discourse: Remarks Towards a History of Foucault's Philosophy of Language" in 아널드 데이비슨(ed.), *Foucault and his interlocutors*, Chicago UP, 1997, pp. 1-17; 이언 해킹Ian Hacking, *Why Does Language Matter to Philosophy?*, Cambridge UP, 1975.

7 이언 해킹, *Historical Ontology*, Harvard UP, 2002, p. 8.

8 아널드 데이비슨, 앞의 책, pp. 178-191.

의 가르침에 의거하는 데이비슨에 따르면, 개념이라는 것은 결코 간단하지 않다. 그것은 요약하자면, 내성에 의해 드러나는 정신 상태도 아니고 지적 직관으로 존재하는 대상도 아니다. 개념은 가능성의 장, 즉 개념이 생기는 조건인 이름 없는 집단적인 구조에 항상 속하는 것이다.[9] 개념이란 결국 언어 게임에서 그 생성 조건을 결정하는 사용의 네트워크에 긴밀히 연결되어 있다. 이제 이 네트워크는 개념 그 자체에 안정성을 가져다주는 역사적 깊이를 복원하는 데 안성맞춤이다. 엄밀히 말하자면 우리는 게임이 그 자신의 반복성과 시간적 진화의 도움을 받아, 그리고 하나의 문화라는 관점에서 형태를 만들어간다는 점을 너무나도 자주 잊어버리는 경향이 있다.

다른 한편, 비트겐슈타인도 이 주제에 대해 자주 의견을 내놓았다. 《미학·종교적 믿음·의지의 자유에 관한 강의와 프로이트에 관한 대화》에 따르면 "언어 게임의 영역에 속하는 것은 바로 한 문화 전체이며" "우리는 역사 속 다른 시대들과는 완전히 다른 게임을 하고 있다."[10] 믿음 체계에 대한 역사적 해석이라는 이 근본 원리는 상식에 대한 분석에서 발견된다. "사람들에게 무엇이 이성적으로 또는 비이성적으로 보이느냐는 변한다. 다른 시대에는 비이성적으로 보인 것이 어떤 시대에는 이성적으로 보인다. 그리고 그 역도 마찬가지이다."[11] 우리가 곧 보게 될 것처럼, 비트겐슈타인이

9 AS, p. 136 et sq.

10 루트비히 비트겐슈타인, 《미학·종교적 믿음·의지의 자유에 관한 강의와 프로이트에 관한 대화 *Lectures and conversation on Aesthetics, Psychology and Religious Belief*》(이하 LC), Blackwell, 1966.

우리와는 다른 삶의 형식을 낳는 믿음 체계들을 상상한 방식은 '사변적 인간학'[12]이라는 새로운 명제뿐만 아니라 확실성의 조건 자체가 훤히 드러남을 나타낸다. 그런데 바로 여기서, 역사적 이해에 대한 푸코의 '고고학적' 가설과의 첫 번째 유사성들이 우리 눈앞에 나타난다. 푸코는 《말과 사물》에서 모든 시대가 그 안에 후속 시대의 씨앗을 포함하는 '선형線形적' 전제에 근거한 역사적 방법을 반박했다. 그런 전제는 역사로 하여금 사건들의 연쇄를 결정하는 인과적 연계를 재구성하도록 강요한다. 푸코는 역사가 사실상 인과성의 특권적인 장소로 생각된다고 단언한다. 달리 말해 통상적인 개념에 따르면 "모든 역사적 접근 방식은 원인에서 결과로 이어지는 관계를 명확히 하는 임무를 띠고 있다."[13] 한 시대의 모든 현상들에 공통된 프로필을 복원하려 애쓰는 이러한 종류의 '전체사'는 세 가지 가설에 근거하고 있다. 첫째는 시공간적으로 결정된 틀에 포함된 모든 사건들 사이에서 중심적인 유일하고도 동일한 핵심을 가리키는 '인과성의 망網'이 있다는 가설이고, 둘째는 경제적, 정치적, 사회적 사실들을 유일하고도 동일하게 변형하는 독자적인 형태의 역사성을 전제하는 것이다. 마지막으로 "역사 자체가 각자의 정합성의 원리를 소유하는"[14] 큰 단위들로 분절될 수 있다는 생각이다. 이러한 역사적 결정론이, 사건들의 인과 연쇄 속

---

11 루트비히 비트겐슈타인, 《확실성에 관하여*On certainty*》(이하OC), Blackwell, 1969, §336.

12 자크 부브레스, "L'animal ceremoniel: Wittgenstein et l'anthropologie", 루트비히 비트겐슈타인, *Remarks on Frazer's Golden Bough*(이하 RGB), Brynmill Press, 1979.

13 "Qui etes-vous professeur Foucault?", DE I, p. 635.

14 AS, p. 18.

에서 그 결정론 자체가 사전에 발전 법칙으로 전제한 것을 정확하게 발견하는 것을 확인하기란 어렵지 않다. 우리가 어떤 선형적 역사를 상상하는 것은 마치 실행에 선행하여 그 자체가 역사적 운동의 원인이 되는 것, 즉 선행하는 것에 회고적으로 투영된 그림자가 되는 진화적 모델을 생각하는 것과 같다.[15] 이처럼 진화의 가설은 역사적 재료 자체에 할당되어, 역사들 사이에 연결된 일련의 사건들로 간주되며, 그 안에서 각각의 사건들은 필연적으로 그 내부에 후속되는 역사의 **원인**을 내포하는 것으로 보인다. 여기서 푸코는 역사적 실천이 역사철학에 의해 부과된 목적론적 원리에 실제적으로 종속된다는 점을 확인한다. 이때 역사철학은 모든 변형의 토대이면서 각 사건의 표면 아래서 보존되는 것이다.[16]

이러한 철학이 추락할 위험이 있는 독단주의에 대하여 비트겐슈타인이 가하는 비판도 유사하다. 있는 그대로인 것, 즉 단순 비교항을 모델로 취할 수 없다는 점은 결국 이를 "현실이 그에 대응**해야 하는** 선입견"으로 삼기에 이른다는 것이다.[17] 비트겐슈타인은 자신이 《논리철학논고》(이하《논고》)에서 펼쳤던 생각들을 부분적으로 비판하며, 철학적 자세는 모든 경험에 앞서는 것, 즉 경험적 성질의 모든 불확실성을 면한 어떤 질서가 존재한다는 가정으로부터 출발하며, 그 결과 이를 문자 그대로, 그 후에 분석이 포착해 낼 수 있어야 할 언어의 **본질**로 삼는다고 주장한다. 그러나 우리가

---

15 AS, p. 234.

16 AS, p. 21-24.

17 RP, §131.

'실재에 있다'고 믿는 이상理想, '논리학의 수정 같은 순수성'은 결코 연구의 결과가 아니라, 분명히 그 전제들 중의 하나이다. 우리는 우리의 연구를 안내하고 우리로 하여금 그것을 가로질러 실재를 '여과'하도록 한 관념을 거의 '코에 걸친 안경'이라도 되는 듯 멸시하며, "묘사의 방식에 놓여있는 것을 사물에다 서술"하기에 이른다.[18] 이때 논리적 필연성의 관념은 이상적 수준, "이를테면 초-개념들 사이의 초-질서"를 가리키는 것으로 보이는데, 이 수준은 원인이 결과에 선행하는 것처럼, 언어의 경험적, 구체적 그리고 일상적인 형식으로의 "추락"에 선행할 것이다.[19] 그리고 이 '최상-수준'이 《미학·종교적 믿음·의지의 자유에 관한 강의와 프로이트에 관한 대화》에서 언급된 "슈퍼-기제"를 상기시키는 것은 우연이 아니다.[20] 이 설명은 원인에 대한 탐구에 근거하여 높은 정도의 필연성에 의해 위격된 것이다. 비트겐슈타인에게, 필연적 원인과 우리의 언어 행동을 지배할 기제라는 관념은, 그 자체로 깊숙이 이질적으로 느껴졌던 이 유럽·미국 **문명**Zivilisation의 특징인 과학적 사고의 지배에 의해 우리에게 부과된 것이다.[21]

그러나 이러한 인과적 연결이 단일한 일반항으로 포섭될 수 있는 모든 것들에 공통적인 하나의 일반항으로 변환됨으로써 그에 대한 이해가 정신적 이미지와 외부의 실재 사이의 대응을 보장하게 되는 것은 인과적인 최상의 설명들을 끊임없이 찾아 나서면서

18 RP, §101-107.
19 RP, §97.
20 LC, 특히 pp.41-45 참고.
21 RM, p. 18 참고.

과학을 모방하는 철학의 특징적인 작업이 된다. "철학자들은 머릿속에 항상 과학적 방법을 생각하고 있고, 질문을 던지고 그에 과학적인 방법으로 답하는 경향을 어쩔 수 없이 가지고 있다. 이러한 경향은 형이상학의 진정한 원천이며, 철학자를 완전한 어두움 속으로 인도한다."[22]

비트겐슈타인은 보다 잘 "실재에 들어맞"을 해석의 이름으로 과학적 방법을 비판하는 것이 아니라, 인과율의 연결들을, 이들의 역량을 모든 언어의 장으로 확대하며 설정하는 경향을 비판한다. 인과주의 패러다임은 물리적 현상들을 과학적으로 설명하는 맥락에서는 문법적으로 옳으나, 미학적, 도덕적, 철학적 혹은 수학적 문제들의 언어적 본성의 검토는 게을리 한다.[23] 언어적 혹은 수학적 상징주의의 분석의 인과 관계를 배제하는 것은 철학은 **원인**들의 논리적인 공간이 아니라 **이유**들의 공간에서 작동한다고 철학적 분석의 특수한 장을 정의함으로써, "인과적 제약과 논리적 제약의 차이"[24]를 부각시켜야 한다.

원인과 이유의 차이를 이해하기 위해, 비트겐슈타인의 사유에서 반복되는 모델인 법정 모델을 살펴보자. 판사 앞에서 나에게 요구되는 것은 내 행위의 동기이지, 내 몸과 정신을 다스릴 일반적인 법칙에 대한 언표가 아니다.[25] 인과적 형태의 가설적인 설명 대신

---

22 루트비히 비트겐슈타인, 《청색 책 · 갈색 책*Le cahier bleu et le cahier brun*》 (이하 BEB), Gallimard, 1996, p. 58.

23 루트비히 비트겐슈타인, *Les cours de Cambridge 1930-1932*(이하CC), TER, 1988, p. 116-117.

24 RP, §220.

25 LC, p. 52.; BEB, p. 54 참고.

에, 내 행동의 이유들을 제시할 것이 요구된다. 따라서 우리는 진리를 선포할 경직된 체계나 과학적 형태의 가설을 대면하고 있는 것이 아니라, 동기를 재구성하고 정황을 기술하는 게임에 포획된 것이다. 이 게임에서 본질적인 역할을 하는 것은 신념이라고 할 수 있다. 왜냐하면 한 쪽이 **추측**이 아닌 동기를 제시함으로써, 사건이 정말 이러한 방식으로 일어났다고 판사를 설득하는 데 성공할 때, 심리審理는 끝났다고 고려할 수 있기 때문이다. 변론의 목적은 일반적인 법칙을 언급하며 사실들을 설명하는 데 다다르는 것이 아니라, 말 그대로 사람들이 우리처럼 **보고**, 우리의 설명을 참으로 받아들이도록 유도하는 것이며, 바로 이때에만 심리는 끝이 나는 것이다. 이는 사람 사이의 의사소통에 선행하는 질서에 들어 있는 진리를 그 자체로 가정하거나 확인하는 것을 의미하는 것이 아니다. 설명을 하기 위해선 "우리가 **아는** 것을 정확하게 모으고 아무것도 덧붙이지 않"거나[26] 별도의 사실을 우리에게 익숙한 다른 사실들에 접근시켜, "오류에서 진리로 가는 길"을 찾으며 "누군가를 진리로 설득하기"까지, 공통적 지시의 맥락에서 그 고유한 기술을 번역하는 것으로 충분하다.[27] 이때 이유를 제시하는 과정은 상징적 구성을 경험에 대한 반박이나 이미 구성된 실재의 반영이 아니라, "이유들의 공간, 언어 표현성의 잠재력을 가로질러 경험의 흐름을 연결하고 구성하는" 활동으로 이해하는 데 기초적이다. 법정의 이미지에서, 궁극적 진리를 보유하고 있는 공정한 판사에 기준

---

26 RGB, p. 14.
27 RGB, p. 13.

을 두는 것은 그 고유한 관점의 신념과 전환을 위하여 설 자리를 잃는다. 사건과, 그것과 유사한 거울로서의 언어의 이미지와 함께, 언어적 경험에 앞서 존재하는 내용에 대한 인정으로서의 이해의 이미지는 해체된다. 따라서 언급된 경우에 우리가 실재라고 부르는 것은 우리가 정당화하고 스스로 확신할 수 있는, 즉 다시 한 번 언어를 매개로 사실을 인정할 수 있는, 어떤 사실의 재정립을 통해 언어 안에서 그리고 이유들의 공간에서 획득되는 일치이다. 언어에서 "우리는 아무 것도 **찾지** 않는다. 우리는 뭔가를 **구성하는** 것이다."[28]

이렇게 실재 전체가, 언어가 그 다음에 기술하는 것으로 만족할 우리 정신 속에 들어 있는 하나의 이미지를 발견할 것이라는 정신주의 패러다임은 (로티가 거울의 은유로 효과적으로 기술했던 '사물과 지성의 일치adaequatio rei et intellectus'로서의 진리 개념에 따라) 정면으로 공격을 받게 될 것이다.[29] 로티에 따르면, 서양 철학에서 인식론들을 지배한 빛의 은유가 우리 정신의 거울-본질Glassy Essence이라는 관념의 기원에 있는데, 이 관념은 표상(거울)의 무대인 동시에 표상과 그에 따라 외부 실재를 독해하는 심급(정신의 눈)으로서 고안된 것이다. 사실, 정신의 눈Mind's Eye에 중심을 둔 이 모델은 정신적 표상과 '외부 세계', 데카르트에 따르면 '내부적'이고 의심할 수 없는 관념들의 중개로 정당화될 사실 또는 대상들의 세계와의

---

28 CC, p. 118.

29 리처드 로티Richard Rorty, 《철학과 자연의 거울*Philosophy and the Mirror of Nature*》, Princeton UP, 1979, p. 37 참고.

일치라는 전제에 근거한다. 따라서 한편으로는 대상들의 세계가, 다른 한편으로는 '거울-본질'이 세계를 알기 위해 이를 머릿속에 투사하길 허락한 주체가 있다. 이렇게 진리는 '안'과 '밖'의 일치일 것이다. 따라서 계속해서 로티를 인용하자면, 표상 모델의 핵심은 더 이상 일군의 이유들에서 논변을 통해 정당화되는 명제적 인식(~라는 인식knowledge that)이 아니라, '저기 바깥' 세계 어딘가에 있는 대상들의 인식, 무언가에 관한 인식knowledge of이다.[30] 그러나 결정적으로 이 '무언가'는 즉각적인 감각 경험에서 이미 주어져 여기서 존재들의 전체 체계로 연장된 것으로, 필연적인 이성성의 도식을 따른다. 우리가 앞서 살펴본 것처럼, 여기서 인식의 정초 행위는 정확히 말하자면, 알려진 것으로 추정되는 것의 인식에 있다. 이 모델에 따르면 언어는, 세계를 구성하는 존재들의 전체가 '단번에' 우리에게 주어지고 '정신의 눈'에 의해 필연적이고 이성적인 구조로서 인지되는 기원적 투명성의 장소이다. 그 결과, 고립된 정신의 측면에서 외부 실재에 대한 직접적 참조는 바로 인지적 영역에서 화자 공동체가 구성되는 이유와 추론의 이 공간을 배제하는 한편, 세계와 언어 사이의 의미론적 관계는 언어를 세계에 '걸며' 표상의 정확성을 보장하는 메타언어의 대상이 된다. 위와 같은 도식에서 정신은 언어 속에서 세계를 번역하며 이를 반영하는 데 그치지 않고, 표상의 진리성을 설파하는 능력 또한 갖추고 있는데, 이는 마치 언어가 외부로부터 자기 스스로를 복제하고 표

30 리처드 로티, 앞의 책, p. 267.

현할 수 있는 것과 같다. 이 복제는 내 정신이 보유하고 있을 어떤 의미가 각각의 대상에 결합되길 원하는 철학적 오해에서 유래하는데, 이때 '복제물'은 주체가 본원적 동형성 덕분에 대상을 아주 잘 알아보도록 한다. 이렇게 의미는 우리가 오래 전부터 알고 있는 플라톤적 사고방식, 즉 낱말은 고유 명사와 다름없다는 생각과 일치하게 된다. 결과적으로, 낱말과 사물 사이의 정신적 관계가 의미를 보장하는 반면, 언어의 문법적 차원은 완전히 배제되는데, 이는 정확히 말하자면 낱말이 의미의 자기 발생적인 반성 논리에 따라 그 맥락에서 분리되고 자기 자신에 맞서는 상태에 있게 되기 때문이다. 세계와 언어 사이의 의미론적 관계의 표현 불가능성에 대한 주장은 언어의 내재적 개념화의 채택과 마찬가지로(즉 이미《논고》의 시기에 러셀의 메타언어적 개념화에 맞서고 있었던 — 그리고 비트겐슈타인 철학의 전기와 후기 사이에 강한 연속성을 재현했던 — 두 측면), 이 기원적 복제에 대한 근본적 비판에 의거한다.[31]

비트겐슈타인은 언어에 대한 모든 형태의 형이상학뿐만 아니라 메타논리학까지도 소거하기를 원했을 터인데, 이는 명제가 있는 그대로 이미 완전하여 그것이 말한 것을 말하기 위해 어떻게 말할지(논리적 형식)를 모르고 단지 보여줄 수만 있기 때문이다. 언어에 논리적 형식을 처방할 수 있다는 착각은 우리가 언어를 수정하기 위해 그로부터 빠져나올 수 있다는 가정에서 유래한다. 반면에 우리가 말하거나 생각할 수 있는 모든 것은 이미 언어 **안에** 있다. 의

---

[31] 야코 힌티카Jaakko Hintikka, *Investigating Wittgenstein*, Blackwell, 1986.

미의 조건들은 그것이 반영해야 할 대상 안에 있는 것이 아니라, 상징 기호들과 의미의 내적 관계 안에 있다는 점에서 본다면 말이다. "언어는 자기 자신에 대해 말Die Sprache muß für sich selbst sprechen"[32] 하는데, 이는 그 기호적 배열에 근거해서이지 외부 실재와의 일치를 통해서가 아니다. 언어는 '세계'의 외부적 사례로서가 아니라, 세계 **안의** 사건이자 우리를 초월하는 의미 구성의 기호적 과정으로서 자율적이다. 따라서 그것은 이를테면 안으로부터 '실행'된다. 비트겐슈타인은 언표에 대한 이해를 음악적 주선율에 대한 이해에 비유하며 음악의 한 소절의 즐거움을 맛볼 때 그 효과(감정, 정신적 이미지 등)를 별개의 정신적 내용으로 생각할 수는 없다고 강조했다. 왜냐하면 이 효과가 다른 음악을 듣는 과정에서 바뀔 수 있을지라도 그 소절 자체에 대하여 결코 별개의 것이 아니며, 그렇지 않으면 내가 이 소절에 대해 말했을 리가 없기 때문이다.[33] 간단히 말해, 음악 소절이 가지고 있는 의미는 내가 그것에 결합하는 정신적 상태가 아니라 그 소절 자체에 들어 있다. 따라서 '음악적 주선율을 이해하기'는 그 설명이 될 어떤 정신적 과정이 아니라, 예를 들면 그것을 "똑같은 리듬(나는 똑같은 오선五線을 뜻한다)을 갖는 다른 어떤 것과 비교"하는 것으로 귀결된다.[34] 이처럼 의미는 지시에 대한 가설을 통해서가 아니라 언어를 구성하는 상징 기호들을 통한 일종의 이행에 의해 인지된다. 이해는 언어 바깥에 있을

32 루트비히 비트겐슈타인, *The Big Typescript*, Blackwell, 2005, p. 3 참고.
33 LC, pp. 66-67 참고.
34 RP, §527.

뭔가를 '포착'하는 지적 능력이라는 이미지와는 대비적으로 모순과 유비 덕분에 기능하는데, 이는 마치 언표가 **말하는 것**을 우리 정신 속에 들어 있는 것에 맞세우며 추측해야 하는 것과 같다. "왜냐하면, 말하자면 하나의 문장을 이해하는 것은 문장 밖의 어떤 실재를 가리키기 때문이다. 반면에 우리에게 문장을 이해한다는 것은 그 내용을 파악하는 것을 의미하고, 문장의 내용은 그 문장 **안에** 있다고 말할 수 있다."[35]

비트겐슈타인에 따르면, 이해 아래에 깔려 있는 정신 과정이나 정신 상태의 질서 같은 무언가를 가정하는 것은 기호적 구조를 '복제하고 있던' 이 '복제의 논리'에 다시 한 번 복종하는 것을 의미한다.[36] '이해하다'라는 낱말에 대한 문법적 분석은 우리가 이를 사용하기 위해 정신에서 일어나는 일을 기술할 필요가 없음을 보여준다. 어떤 이가 일련의 숫자를 이해했는지 여부는 그가 그 수열을 연장시킬 수 있는지에 달려 있다. 달리 말해 같은 형태의 새로운 기호를 산출할 수 있을 때, 특히 이를 실제적으로 산출할 때 비로소 우리는 이해하게 되는 것이다. 후속 기호를 산출하는 역량은 정신에서 전개될 과정의 외부 부대현상과 같은 다른 곳이 아니라, 엄밀히 말하자면 '이해하다'의 문법에 결정적으로 속한 것이다. 즉 이해는 획득되고, 배워지며, 훈련되고, 개발되어야 하고, 따라서 기호 과정에 능동적으로 참여하는 것으로 이루어진 역량, 지식과 같은 어떤 것이다. 우리는 여기서 '이해하다'라는 단어의 다른 의

---

35 BEB, p. 258.

36 RP, §143 이하 참고.

미들에 대한 복잡한 분석을 따르지는 않을 것이다.[37] 이를 위해서는, 이해가 고립된 개인에 의해서 이루어지는 내용에 대한 즉각적 직관과 일치하지 않는다면, 이는 역으로 말해 법정에서 소송 과정 중에 일어나는 것과 정확히 같은 방식으로 공동체라는 틀 안에서 이행되는 **실천**과 부합한다는 사실을 강조하는 것만으로 충분하다. '나의 이해'라고 말할 수 있기 위해선, 내가 기호를 만들어내고 내 차례가 되면 대화 상대가 나에게 주는 질료적 기호들로부터 추론을 해낼 수 있어야 한다. 이 기호들의 산출/수용 과정이 언어적 교환의 실천적이고 구성적인 차원을 밝히는 것을 가능하게 한다. 이를 위한 진리는 이미 행해진 내용이 아니라 우리가 정신적으로 도달하게 될, 비트겐슈타인이 '삶의 형식'이라 부르는 것의 틀에서 우리가 능동적으로 구성하는 바로 그것이다. 이해와 언어사용 사이의 격차, 그리고 후자가 전자의 단순한 표상일 것이라는 생각은, 이해를 기호 산출의 행위 자체에 동화시키는 동시에 사라지게 하고, 따라서 이와 함께 해석의 필연성 또한 없어진다. 왜냐하면 일단 우리가 전자와 후자 사이의 일치를 발견한 후에는 계속해서 정당화하는 것이 더 이상 의미가 없고, 따라서 우리가 찾던 것을 발견했음을 이해할 수 있는 유일한 기준은 주어진 순간에 결정된 방식으로 **행동하기** 위해 찾기를 멈춘다는 사실이기 때문이다. 그런데 이 행위는 우리가 알아볼 수 있는 집단 행위이다. 다른 활동들, 문화 전체와 함께 우리의 '삶의 형식'을 구성하는 것은 바로 이 움직

[37] RP, §531 참고.

이기, 다양한 언어 게임**하기**이기 때문이다.[38] 내가 세계를 이해하는 방식이 내가 세계에 존재하는 방식이다. 우리와 세계 사이를 이어주는 접속 장치 이상으로, 언어는 우리가 살고 우리가 '실천'하는 세계 자체이자 도구인 동시에 구성이다. 우리는 이제, 비트겐슈타인 사유의 진전된 국면에서 그토록 자주 등장한 '삶의 형식'의 개념이 언어 경험에 선행하는 일군의 사실이 아니라, 우리 경험이 구조화되는 문법적 형식을 함축한다는 것을 이해하게 되었다. 사실상 우리는 문법이 정확히 언어의 의미 있는 사용을 규율하는 규칙과 조건의 총체로서 삶의 형식에 내재하고, 그 결과 또 다른 문법을 상상하기 위해선 또 다른 삶의 형식을 상상해야 한다고 단언할 수 있다.

위와 같은 논리에서, 우리는 플라톤의 의미론을 배격하는 것이 필연적으로 협약론에 이르지는 않는다는 걸 알 수 있다. 화자 공동체, 일치 혹은 법정의 예시가 협약론을 생각하게 할 수 있던 것과는 다르게 말이다. '설명은 한계를 갖는다'는 사실은, 말하자면 이성적 토대에 의해 자연 질서로부터 해방된 합의적 해석이 아니라, 일치가 언어 행위의 조건 자체로서 주어진 공동체적 배경으로 일종의 복귀를 하는 것에 기인한다. "이것은 의견의 일치가 아니라, 삶의 형식의 일치이다."[39] 이 근본적인 일치에 맞서, 근거들에 대한 철학적 분석은 더 이상 행해질 수 없다. 바로 이렇게 "나는 암반에 도달한 것이고, 내 삽은 휘어져 있다. 그때 나는 다음과 같이 말

---

[38] RP, §23; RP, p. 106 참고.

[39] RP, §241.

하는 경향이 있다: '나는 다만 이렇게 하고 있을 뿐이다.'"[40] 이처럼 비트겐슈타인은 언어를 거울 관계에 기초하는 것이 터무니없는 기획이라고 단언하고 싶어 한다. "언어는 이성적 추리에서 나오지 않"기 때문이다.[41] 질문을 던지고, '나는 다만 이렇게 하고 있을 뿐이다'의 동기를 다시 요구하는 성향은 더 이상 이유들의 사슬과 정합적이지 않고, 깊은 뒤틀림, 인과주의 패러다임을 기호 분석에 적용하는 것으로부터 파생되는 뒤틀림을 드러낸다. 그 이후 우리가 찾는 것은 행위의 원인이고 그에 대한 유일한 해답은 가설이다.[42] 고전 철학의 은유에서 토대의 역할을 대신하는 이 암석층은 여기서 실체적이거나 합의적인 무언가가 아니라 "근거 없는 행위방식"이다.[43] 비트겐슈타인은 괴테의 《파우스트》를 인용하며 "태초에 행위가 있었다"[44]고, 즉 언어 게임은 처음부터 이성적으로 근거가 마련되지 않은 행위와 반응들로 구성된다고 선언한다. 우리의 습관적 해석을 이성적으로 정당화하는 것은 불가능하다. 왜냐하면 언어 게임은 아주 단순히 이성성과 비이성성을 초월하여 우리 앞에 있기 때문이다. "그것은 거기에 있다 — 우리의 삶처럼."[45]

생生에 대한 지시는 다른 곳에서 동물이나 원시인에 대한 것처럼, 삶의 형식에 연결된 본능적인 행위를 가리키기 위해, 내 논리적 추론의 한계를 단순히 표시한다. 사실, 삶을 시작하기도 전에

40 RP, §217.
41 OC, §475.
42 BEB, p. 54.
43 OC, §110.
44 OC, §402.
45 OC, §559.

이성이 필요하다는 것은 터무니없는 이야기일 수 있다. 왜냐하면 삶의 문제에 대한 해결책은 삶 그 자체 안에 있기 때문이다.[46] 어떤 언어를 말한다는 것은 정신적 여과장치의 각별한 완성을 필요로 하지 않는 행동을 계발함을 의미한다. 이는 내가 행동할 때마다 세계의 존재를 내 자신에게 설득할 필요가 없는 것과 동일한 방식이다. "내가 의자에서 일어나고자 할 때, 나에게 여전히 두 발이 있는지 왜 나는 확인하지 않는가? 아무런 이유도 없다. 나는 그저 그런 일을 하지 않을 뿐이다. 바로 그렇게 나는 행위를 한다."[47]

언어 게임이라는 관념 자체도 한편으론 일군의 규칙들을, 다른 한편으론 어떤 행위를 가리킨다. 게임이란 규칙적 행위이다. 그런데 이해의 모델에 관해 이전에 이야기되었던 것에 비추어볼 때, 언어 게임의 활동에서는 그것이 적용의 상태에 도달할지라도, 나를 안내할 일의적 규범의 기능을 규칙이 (마치 규칙이 비밀리에 그 안에 모든 가능한 적용을 포함하는 것처럼) 다하지 않고, 오히려 바로 규칙 자체가 용법과 그 적용의 표현이 된다. 비트겐슈타인은 규칙과 규칙성에 대해 말할 때, 사유의 법칙이 아니라 행위와 습관의 규칙성을 참조하였다. 용법 인간학적 행위의 '동역학적' 차원이 다시 한번 일차적이게 되는데, 이는 비트겐슈타인이 계산의 확실성을 규칙에 의해 표현된 이상적 명증성의 차원이 아니라, 학습 행위나 언어 교습에 관련시켰을 때도 확인할 수 있다. "만일 당신이, 어떤 점에서는 우리들이 잘못 계산했을 수 없다는 것을 추론할 수 있는 규

46 OC, §475.
47 OC, §148.

칙을 요구한다면, 그 대답은 이렇다: 우리는 규칙을 통해 그것을 배운 것이 아니라, 계산하는 법을 배움으로써 배웠다."[48]

'정신주의' 해석에 따르면, 규칙의 '본질'에 대한 이해는 마치 규칙이 행위 방식을 결정하는 것처럼 그 적용에 있어서 선결적이다. 그러나 수학적 수열의 경우는 모든 해석, 즉 모든 행위 방식이 규칙과 일치될 수 있음을 바로 증명한다.[49] 따라서 우리가 규칙을 해석할 때 그것을 제대로 따르는 중이라는 어떠한 보장도 선험적으로 존재하지 않는다. 오히려 규칙의 적용에서 안정적인 습관, 행위의 자연스런 맥락에서 학습에 의해 결정되는 습관과 관계가 있다. 그리고 비트겐슈타인이 규칙을 좇는 사실을 질서를 따르는 것에 비유하는 것은 우연이 아니다.[50] 우리는 교수자의 권위에 기대어 일정한 방식으로 행위를 하고, 옳게 계산했다는 사실에 대한 통제 가능한 기호들을 제시할 수 있게 될 때 계산하는 법을 배우게 된다.[51] 옳게 계산하기 위해선 '초험적 확실성'이 아니라 '실천적 목적을 띤 결정'이 제한적으로 필요하다. 비트겐슈타인은 《확실성에 관하여》에서 표현의 의미를 그 용법의 양태로 끌고 간다. 그리하여 이미지라는 의미의 선험적인 기원은 우리가 그것을 처음 들었을 때, 그것을 우리의 안으로 통합했을 때, 그리고 규칙적 실천을 따라 그것을 사용하는 법을 배웠을 때 이 낱말에 연결된 행위와 대략적인 뜻으로 옮겨진다.[52]

---

48 OC, §44.

49 RP, §201, 또한 §85, §208.

50 RP, §212.

51 OC, §45-50.

모든 철학적 전략들이 행위에 어떤 설명이나 이유를 제공하는 데 있어 불충분하다는 걸 강조하면서, 비트겐슈타인은 그 안에서 설명이 의미를 가질 수 있는 구조를 보여주려 한다. 우리의 가장 첨예한 논변들은 무한 퇴행의 길로 빠지지 않고 각자 자기 차례에 정당화될 수 없는 일군의 기술과 실천을 항상 전제하고 있다. 우리의 확실성과 습관, 사용 관습의 체계는 문자 그대로 논변의 '생생한 요소'이다. 그것은 참의 토대Grund에 있어 참일 수도 거짓일 수도 없는 것이다.[53] 삶에 형식을 제공하는 확실성과 실천의 체계적인 성격에서, 우리는 비트겐슈타인의 작업이 가진 특수성에 대한 표현을 볼 수 있다. 이 작업은 개념 이전의 장을 토대 없이, 그렇다고 해서 그로부터 규칙성과 체계성을 배제하지 않고 고려하는 데 있다. 삶의 형식이 야만적 경험의 영역이 아닌 것과 마찬가지로, 우리는 언어 게임의 기원에서 행동하는 방식들이 단순히 충동에 근거한다고 말할 수 없다. 오히려 그 반대로, 삶의 형식에 내재적인 문법적 구조화로부터 유래하는 그 깊숙한 규칙성을 해독할 수 있는 것은 우리 삶의 형식 그 자체 안에서이다.

바로 이러한 맥락에 무어G. E. Moore의 상식의 옹호에 반대하는, 확실성과 상식에 관한 비트겐슈타인의 진술이 위치한다. 둘 다 언어적 실천의 구체성에서 의심할 수 없는 것으로 보이는 일련의 명제들에 관심을 기울였다. 그러나 무어에겐 '나는 이것이 손이라는 걸 안다'와 같은 명제의 의심할 수 없는 특성이 내 손의 존재를 '외

52 OC, §61.
53 OC, §105, 205.

부 세계'에서 정말로 증명하는 역할을 한다. 우리가 앞서 살펴본 철학적 태도에 따르면, 무어는 우선 기호-대상 복제를 전제한 다음, 외부 세계를 옳게 반영할 기호-대상 복제의 역량이 명제의 확실성에서 파생하도록 하였다. 이에 따라 상식을 구성하는 '자명한 이치'들이 존재론적 가치에 따라 직관적 확실성으로서 유효하게 된다. 외부 세계의 존재를 내적 상태의 확실성을 재생산하는 언어적 공준이라는 토대 위에서 정당화하는 것이 중요한 것으로 보아, 표상 이론의 고전적 문제(언어는 세계를 어떻게 반영하는가?)가 단순히 로티가 '데카르트적'이라고 말할 이상적인 관점에 따라 어떻게 단순히 이전하게 되었는지를 주의하자. 무어의 논증이 갖는 복제 기제에 맞서, 비트겐슈타인은 상식적인 명제들의 확실성을 언어의 완결 체계에서 의미 있는 것으로 만드는 이러한 문법적 특성에 맡긴다. 경험적 명제의 확실성은 세계에 대한 나의 경험이 아니라, 그 용법의 문법적 조건들에 달려 있다. 즉 명제는 "우리의 준거 체계에 속"하는데, 이 체계에서 내 언표의 진리는 외부 세계의 보장이 아니라 단순히 나의 언표 이해를 검사하는 수단이다.[54] 무어가 '증명'으로 가리킨 자명한 이치들은 의심할 수 없는 외부 실재의 존재에 근거하지 않지만, 서로 돕는 명제들의 조직을 형성한다. 다시 말해 자명한 이치들이란 "우리의 모든 고찰들의 골격"의 일부이다.[55] 실제로 나의 신념들은 하나의 체계를 이루고 있고, 이 신념들에 확실성을 주는 것은 바로 체계에 삽입될 이들의 역량이다. 이

[54] OC, §83, 80.

[55] OC, §211.

런 의미에서, 어떤 명제들은 경험적인 것으로 보이기는 하지만, 모든 경험 명제들이 미끄러지는 '레일'을 실재에서 형성한다. 즉 이 명제들은 게임 규칙의 논리적 기능을 완수하는데, 이는 특정한 방식으로 언어의 흐름을 '지배'하는 강의 하상河床과 같다.[56] 이는 첫째로 '묻기'와 '근거 대기'의 게임이 무한히 계속될 수 없다면, 의심할 근거가 하나도 없는 체계와 관계할 수 없기 때문임을 의미한다("근거의 사슬에는 끝이 있다").[57] 의심 또한 우리가 지식을 배경으로 두고 배우는 하나의 언어 게임이다. 그럼에도 불구하고 우리는 의심을 통해 모든 일련의 의심할 수 없는 명제들을 안정 상태에서 간직한다. 나는 결코 모두가 아니라, 어떤 사실들만을 의심할 수 있을 뿐인데, 왜냐하면 이로써 의심은 그것을 지배하는 게임에서 벗어나게 되고 언어는 공회전을 하게 되기 때문이다. "모든 것을 의심하는 의심은 아무런 의심이 아닐 것이다."[58] 누군가가 지구가 존재하는지를 의심하기 시작하면, 위험해질 것은 바로 내 확신을 이루는 모든 체계이고, 나는 과연 우리가 동일한 삶의 형식을 공유하는지를 심각하게 자문해봐야 할 것이다. 반면에 우리는 '보다 추론적인' 방식으로 나폴레옹이 아우스터리츠에서 승리를 거두었다는 것은 의심할 수 있지만, 다른 차원에서 보면 이 두 명제들은 서로 관계가 없는 것이 아니다. 후자는 전자를 필연적으로 전제하고 있기 때문이다.

---

56 OC, §96, 97, 494 참고.

57 루트비히 비트겐슈타인, *Zettel*, §301; OC, §4.

58 OC, §450.

강의 이미지에서 중요한 또 다른 측면은 물 흐름에 의한 하상의 형성이다. 우리가 앞서 말했던 바위투성이 바닥은 형성된 후 언어적 흐름의 운동에 의해 침식되었다. 언어적 흐름을 위한 규칙 노릇을 해야 하는 명제들의 '하상'을 정의하는 것은 부동성이 아니라, 언어 흐름의 이동이 한 눈에 보아도 물의 흐름보다 더 느릴지라도, "이 둘 사이에는 뚜렷한 분할이 없다"는 사실이다. 흐르는 명제는 언제나 응고될 수 있고 그 역 또한 마찬가지인데, 이때 한번은 조절되어야 하는 것으로 다른 한번은 조절 규칙으로서 간주된다. 확실성이 자리 잡는 '배경'은 고정된 무언가가 아니라 "내가 물려받"고 문화의 틀 안에서 배운 것이다.[59] 내 확실성의 체계는 내가 그것을 선택하지 않았기에 협약적이지도 자의적이지도 않으며, 그것은 내 삶의 형식의 고유한 행위에서 게임하며 배우고, 그것을 배운 **후에야만** 오로지 발견하고 이해할 수 있는 것이다.[60] 여기서 행위의 우선성이 상당한 보완을 통해 확인된다. 이 확실성의 체계는 그 안정성이 축 운동에 의해, 즉 내가 행위를 할 때마다 그것을 다시 확인한다는 사실에 의해 주어질 회전축에 비유된다. 강은 적어도 하상이 그 흐름의 방향을 잡는 한, 자신의 하상을 일으킨다. 바로 여기서 규칙 행위로서 언어 게임의 주요한 특성이 나타나는데, 그것은 의문을 던지고 엄밀한 의미에서의 게임의 규칙을 차차 고쳐 나가는 것이다("우리가 게임을 하면서 그 '도중에 규칙을 만드는' 경우도 있지 않은가?").[61] 우리가 서두에서 살펴본 우리 신념 체계에 대한

59 OC, §94.
60 OC, §152.

역사적 해석의 이 근본 원칙은 수동적 반영이라기보다는 행위로서 고안된 언어의 관념에서 유래한다. 하상의 이동과 같은 우리 확실성 체제의 느린 변형은 무어의 생각, 즉 상식은 내가 담론의 '닻'을 외부 실재에 내릴 수 있게 하는 일군의 자명한 부동의 명제들[62]이라는 생각이, 과학적이고 철학적인 지식의 측면에서 자연 상태의 안정성이라는 상식에 투사한 결과와 다름없다는 것을 보여준다. 이 동일한 지식이 자신의 항상적인 변화 때문에 분명히 나타날 수 없다는 안정성 말이다.

상식과 대중 지식은 '저급한 과학'이라는 것은, 과학적 기획이 자신의 과거를 비-과학으로 치부하며 거부했던 배경 속에서 이해되어야 한다. 과학의 가설적 설명은 동일한 하부구조에서 만들어진 한, 삶의 형식에서 세분화된 확실성의 하부구조에서 천천히 그 일부가 되기 시작했다. 따라서 삶의 형식과 근거 없는 행위방식의 연장으로서 우리의 행위에 형식을 부여하는 구성적이고 토대가 되는 절차들이 중요하다. 그러나 이는 또한 삶의 형식, 우리가 진화해온 '자연적' 맥락은 학습되고 '실행된' 문법적 체계를 영구히 구성하고 재정식화하는 변화하는 '지식'에 토대를 두고 항상 구조화됨을 의미한다. 물론 우리가 '삶의 형식'을 자연적 규칙성으로 간주한다면, 이들의 본성을 더 이상 딱딱하고 기계적인 법칙으로서가 아니라, 오히려 결정적인 것으로 머물러 있으면서도 휠 수 있는 법칙성으로 이해해야 한다. 우리가 그것의 일부인 동시에 그것

[61] PR, §83.
[62] OC, §389.

에 수정을 가하는 무언가로서 말이다. 결과적으로 외부 실재의 전체성을 설명할 모든 자명한 이치들의 '완전한 목록'을 만들려는 무어의 시도는 역설적이었다. 왜냐하면 그것은 존재론적 토대가 결코 언표되지 않았던 명제들을 포함하여 나의 모든 확실성 체계에 대한 기술을 함축하였으나, 이를 행하기 위해선 내가 나의 고유한 삶의 형식에서 빠져나와 이처럼 '완전한 의심'의 비정합성을 반복해야 했을 것이기 때문이다. 이러한 사태가 분명 과장된 의심에서 생긴 것이기에, 무어는 상식의 확실성을 그 문법적 조건들로부터 추출한 후, 외부 세계에 대한 의심할 수 없는 인식으로 결론짓기 위해 이 확실성이 기능하도록 시도했다. 구성주의 과학적 절차들에 전형적인 그의 토대주의 행보 또한 삶의 형식에 뿌리를 내린 우리의 개념적 습관들의 조직화 전략에 들어 있다. 예를 들면 이 절차에서 체험에 대한 인과적 설명이 토대의 역할을 할 수는 있으나, 이유들의 장에 도입되자마자 그것은 "공회전한다."[63]

비트겐슈타인은 철학적 탐구에 개념적 도구들에 대한 '외부적' 시선의 특수한 성격을 보장하고 그 기초적인 기능을 부정하기 위하여, 과학의 가설-인과적 이해의 모델에서 철학적 분석을 '분리'하려 한다. 비트겐슈타인은 철학의 방향을 '외부 세계의 증명'을 제공하려는 존재론이 아니라, 결국에는 우리의 개념 도구들을 '보여주는' 우리 문법의 명료화로 잡는다. 그 목적이 세계를 '설명Erkärung' 하기 위한 이론을 구성하는 것인 과학과는 반대로, 철학은 설명 법

[63] OC, §429.

칙이라는 간접적인 수단을 통해서가 아니라 개념과 "경험 개념들 중 자기 자신의 자리"에 대한 이해를 통해 우리 언어의 일상적 기능에 대면한 명료함Klarheit을 열망한다.[64] 게다가 《탐구》에서 단언한 것처럼, 비트겐슈타인의 관심을 끄는 것은 개념들의 '인과적' 기원에 대한 설명보다는, 이들이 추론과 교차 지시라는 체계 안에서 행하는 기능이다. 과학적, 구성적 그리고 기초적 설명의 문법적 틀 안에서 그 가치를 보존하는 인과적 패러다임은 철학적 분석의 관점에서, 결국 언표의 문법에 대한 기술과 예시일 뿐인 설명들을 발생시킨다. 철학적 분석은 그 기술적 의무에서 해방되어, 조사 대상으로서 이를 안내하는 동일한 전제들을 정의한다. 동시에 규칙들의 함정에 빠지고 만 토대 놓기 전략들에 의해 수행되는 우리 언어의 '마술 걸기'에 대한 투쟁이라는 해체적 성격을 취한다. 한 표현의 문법이 우리 삶의 형식의 성격을 규정하는 행위와 사용 양태에서 유래한다면, 언어 치료로서의 철학 작업은 낱말들을 "이들의 형이상학적 용법에서 일상적 용법으로", 낱말들이 자신들의 문법이 잘못 이해된 결과 잃어버리게 된 기능성을 되찾는 맥락으로 인도하는 데 있다.[65] 철학적 분석에 있어, 낮은 곳에서 높은 곳으로 이어지는 원인과 사실 사이의 수직적 관계에서 의미의 근거를 찾을 모델의 적용을 거부하는 것은 사실상 개념적 분석을 '수평적' 의미로 이끌어 낸다. 개념적 연결을 비교와 대체를 통해 드러내며 언어적 형식들 사이의 분화와 계통을 강조하는 것이 중요하다. 진정한 철학적 분

[64] RP, 2부, xi, p. 274.

[65] RP, §116; RP, pp. 27-28 참고.

석은 언어에서 구체적인 용법들을 넘어 의미의 본질을 포착해서는 안 된다. 그것은 형태론적 방법 덕분에 다른 용법들 사이에서 연결의 선명한 비전을 획득하고, 이후 언어 게임을 규율하는 규칙들을 드러내려 하는 것이다. 이처럼 우리는 인과적 연계라는 조건에서가 아니라 조화로운 이미지로서의 언어 게임 요소들을 상호 조명하는 것을 목표로 하는 그 '감성적 패러다임'에 이르는 것이다. 그리하여 비트겐슈타인에 따르면, 철학은 새로운 설명 이론을 구성하지 말아야 하고, 모든 것을 '있는 그대로' 내버려두면서 우리 기호체계의 완결 과정들에 의미를 복원할 줄 알고 우리 행위의 양태로서 이들을 제시하는 전체의 비전에 도달해야 하는 것이다. 한편, 철학적 과제는 언어적·개념적 체계들이 삶의 형식에 어떻게 연계되는지를 보이며 과학적 언표들과 일상 언어의 구성적 원형을 명확히 하기에 이른다. 다른 한편, 문법적 도구의 실천적이고 행위적인 뿌리는 문법적 명료화의 과정에서 더 이상 '말해질' 수 없고 단지 '보여질' 수만 있을 뿐이다. 실제로 우리의 행위에는 토대가 없다고 주장하는 것이 사활적 유용성의 관점에서 우리가 말하거나 계산하는 행위의 원인을 찾는 것은 쓸모가 없음을 의미한다면, 바로 우리가 말하거나 계산하는 방식에 대한 엄격한 이해는 결국 우리가 어떻게 사는지를 보여주기에 이른다.

이는 마치 개념적 체계들의 외부적 기술이 이들을 움직이는 동력(인과론적 설명으로 되돌아오게 할 것)이 아니라, 사활적 유용성의 이미 언급된 기능적 차원을 반드시 건드리는 것과 같은데, 이 차원이 위 체계들을 우리에겐 지각되지 않는 우리의 삶의 형식으로 만든다. 바로 여기에 대하여 비트겐슈타인의 마지막 저작들에서 언어 게임의 상상력과 창의성의 큰 기능이 답을 주는데, 이는 단 한 가지 종류의 사례만 가지고 자신의 생각을 키우는 '철학 병'과 싸우도록 예정된 것이다.[66] 언어 게임을 발명해내는 것은 '가족 유사성'이라는 간접적인 수단을 이용하여 연결된 개념들 사이의 새로운 비교로 이어지나, 이는 일상 언어 게임의 문법적 규칙들을 넘어서면서만, 즉 문법의 다른 기능을 상상하면서만 일어날 수 있을 뿐이다. 이는 실제로, 우리의 삶의 형식에 결연된 다른 삶의 형식들을 상상하기에 이르는 '사고 실험들'을 발전시키는 것을 전제하나, 바로 이 거리두기의 결과로 내 담론을 지배하는 개념적 장치가 역광으로 나타날 것이다. 실제로, "우리가 뭔가 다른 것의 가능성을 열어두지 않는다면, 어떻게 이 장치를 기술할 수 있을 것인가?"[67] 상상을 통해 '달리 보기'의 가능성은 정신으로 하여금 그때까지 개념을 한 가지 방식으로만 보도록 했던 '정신적 경련'으로부터 정신을 해방시키고 그것의 다형성을 보여줌으로써, 언어를 필연적 사물들의 질서의 거울로 삼았던 형이상학적 '주술'을 푸는 것이다.[68]

따라서 비트겐슈타인의 철학 작업은 본질주의에 대해서와 마찬가지로 실체주의에 맞서며, 실체의 궁극적 토대가 아니라, 삶의 형식에 고유한 활동들의 복합체가 드러나는, 엄밀한 의미에서의 개

---

66 RP, §593 참고.

67 루트비히 비트겐슈타인, *Remarques sur la philosophie de la psychologie*, TER, 1994, §190.

68 RP, §109 참고.

념적이고 형식적인 구조들을 조명하고자 한다. 그런데 이러한 차원에서, 푸코 저작의 어떤 중심적인 동기를 확인할 수 있는 것으로 보인다. 철학적 분석이라는 비트겐슈타인의 개념으로부터 지금까지 진행된 검토를 참조하면, 푸코 역시 그 자신의 사색 방향을 반인과론적 패러다임에 따라 이끌었다고 할 수 있을 것이다. 실제로 그에 따르면, 의미는 추상적 이성성의 필연적 질서가 아니라, 그 반대로 일련의 언어적 실천의 틀에서 '행해지는' 그 순간에 물질적으로 형성될 것이다. 이러한 '구성적' 차원은 푸코가 1971년 콜레주 드 프랑스에서 열린 첫 강의에서 아리스토텔레스의 인식 패러다임에 대하여 상세히 설명할 때 특히 분명해지는데, 그 논증은 《강의 요약*Résumé du Cours*》에 간략하게 그려져 있다. 푸코에 따르면, 아리스토텔레스의 모델은 네 가지 가설, 즉 감각과 쾌락 사이의 연계, 이러한 연계가 감각이 내포하는 사활적 유용성에 대해 갖는 독립성, 쾌락의 강도와 감각이 방출하는 인식의 용량이 이루는 직접적인 비율 관계, 쾌락의 진리와 감각의 오류 사이의 양립불가능성을 전제한다.[69] 여기서 주제로 삼을, 감각과 쾌락의 차이는 개별적 감각들을 수확하는 '몸의 눈'과 이것들을 "내부화하기" 위해 보편자들을 포착할 수 있는 '절대 정신의 눈' 사이를 앞서 구별했던 것으로 넘어갈 수 있을 것이다.[70] 이처럼 감각적 시지각, 비물질적 영혼에 의한 외부적 진리의 관조는 인식에게 모델이 되고, 바

69 미셸 푸코, "La volonté de savoir", *Annuaire du Collège de France, année 1970-71*; DE I-II, pp. 1108-1112.

70 리처드 로티, 앞의 책, p. 88 이하 참고.

로 이 무관심한 시각의 즉각성과 '이론적 관조의 행복' 사이의 관계가 표상의 타당성을 증명하게 된다. 이 즉각성이 표상 모델의 두 번째 논점을 가리키는데, 이 논점에서 아리스토텔레스는 이들 사이에서 인식 욕망을 견지하는 연계의 **유용성**의 사활적 차원, 즉 감각과 진리의 즉각성을 배제한다.

시지각은 동시에 주어지는 여러 대상에 대한 원격 감각처럼, 몸의 유용성과 즉각적인 관계없이, 그것이 그 자체로 가지는 만족에서 인식과 쾌락 그리고 진리 사이의 연계를 드러낸다.[71]

이 모델에 맞서, 푸코는 니체의《즐거운 학문》에서 영감을 얻게 된다. 그에 따르면 이해관계 — 혹은 사활적 유용성 — 는 자신의 표현과 다름없는 인식 **이전에** 근본적으로 위치한다. 인식은 항상 위치해 있기를, 그것은 인식의 주체와 대상이 그 안에서 돌이킬 수 없게 함께 함축된 특정한 전략적 관계이며, 언제나 존재의 필요와 이해관계와 관련하여 파생되는 하나의 '발명'이 된다. 감각과 이론적 관조 사이에는 직접적인 관계가 없다. 왜냐하면 이 둘 사이에 의지, 즉 인식 체계의 기초가 되며 이름 없는 여러 형태의 앎에의 의지의 차원이 항시 개입하기 때문이다. 니체는 인식과 사물 사이를 진정으로 단절하고, 이들 사이에서 그는 그 어떤 유사함도, 그 어떤 예비적 친화성도 인정하지 않는다. 이성적 질서는 인간에게 규율을 제공한다는 사실 덕분에 획득된 혼돈의 길들임을 표현하고, 지성과 사물 사이의 합치는 합치에의 의지로 인한 결과일 뿐이

71 미셸 푸코, 앞의 책, pp. 1110-1111.

다. 여기서 푸코가 바로 니체를 통해서 브라우어Brower와 신직관주의 학파가 수학적 인식에 대하여 전개하는 작업, 즉 그가 인식과 과학적 지식을 인간 의지 행위의 표현으로 삼는다는 것에 어떤 의미에서 유사한 위치 이동을 수행하고 있음을 주의하자. 사실, 니체의 독자로서 푸코에게는, 본질도, 인식도, 그의 보편적 조건도 존재하지 않는데, 이는 이런 것들이 인식적 차원(필연적 이성 질서의 이론적 관조의 의미에서)이 아니라 역사적으로 결정되고 '공동체적'인 행위의 맥락에 속하는 조건들의 항시 역사적 결과이기 때문이다.[72] 이처럼 인식의 욕망은 그것이 특정한 환경에 고유한 목적들과 일치하는 맥락에서 복원되는데, 이런 의미에서 우리는 비트겐슈타인의 방식대로, 인식 언표들 자체가 특수한 삶의 형식에 고유한 기능 양식으로 귀결되었다고 말할 수 있을 것이다. 본능의 불화, 투쟁, 인식의 '저열'하고 타산적인 기원은 표상의 본원적 투명함에 맞서는데, 푸코가 이를 이성화될 수 없고, 근거가 세워질 수도, 표상될 수도 없는 생의 흐름의 불투명성의 대조적인 이미지로 나타낸 것이다. 요약하자면, 푸코는 비트겐슈타인의 철학적 분석에서 핵심적인 것으로 드러났던 것과 동일하게, 어떤 '위치 이동'을 수행하는데, 이는 '본질'에서 의지로, '사물의 반영'에서 행위로, 대상의 고정에서 그것의 구성적인 동역학으로 이동하는 것이다. 감각적 시각의 즉각성에 대한 거부와 합치 기준에 대한 비판은 인식의 기원에 불화를, 인식 주체와 그 대상 사이에 일종의 대립을

72 "La vérité et les formes juridiques", DE I-II, pp. 1419.

도입한다.[73] 투쟁의 선재先在는 한편으로는 행위를, 다른 한편으로는 인식의 실천적 원형을 밝히는데, 푸코는 메타역사적 진리의 단순한 관조 대신에 시도, 오류, 활용, 간단히 말해서 그가 '실천'이라 이름 붙인 것의 완결된 무대를 보고 있는 것이다.

푸코의 작업에서 이 측면의 중요성을 잘 포착하기 위해선, 그가 정립하길 애썼고, 실천들의 귀결이나 역사의 '침전물'로서 대상들을 세우기 위해 이와 반대로 실천을 대상들의 사건으로 삼기를 거절하는 방법론을 상기할 필요가 있다. 폴 벤이 그의 중요한 시론에서 논증하듯이, "**행해진 것**, 즉 대상은 역사의 각 순간에서 **행위**였던 것에 의해 설명된다. **행위**와 실천이 행해진 것으로부터 설명된다는 우리의 상상은 틀린 것이다."[74] **행위**의 차원을 가치 있게 하는 것은 '자연적 대상'이 결국은 역사의 유일하고 참된 **질료**인 객관화 실천에 관련해서만 그렇게 됨을 단언하는 것으로 귀결된다. 그렇다면 역사에서 기원의 보증이나, 목적론적 도식에서 그 표현을 찾는 것이 아니라, 이질적 실천과 대립적 지식의 — 이것들의 내부 자체에서 역사의 대상과 주체를 용해하는 — **부조화성**의 계보학을 구성하면서 이것들이 기원적 본질의 다소 완성된 표현이 아님을 보이는 것이 중요하다. "그런데 계보학자가 형이상학에 믿음을 더하기보다는 역사에 애써 귀를 기울이게 된다면, 그는 무엇을 알게 되는가? 사물의 배후에 '완전히 다른 것'이 있다는 것: 본질적이고

73 앞의 책, p. 1420.

74 폴 벤 Paul Veyne, "Foucault révolutionne l'histoire", *Comment on écrit l'histoire*, Seuil, 1971, p. 363.

날짜가 없는 그들의 비밀이 절대 아니라, 그것들은 본질이 없거나 그 본질은 그에게 이질적이었던 형태들로부터 하나하나 구성되었다는 비밀을 알게 된다."[75]

계보학이 문제로 삼는 것은 결국 존재와 생성 사이의 형이상학적 갈등, "존재하는 것은 **생성되지** 않고, 생성되는 것은 **존재하지** 않는다"는 전제이다.[76] 푸코가 1970년대 저작들에서 기술한 지식과 권력 사이의 순환의 깊은 의미는 바로 이 원리에 대한 부정 위에 놓여 있다. 표면적인 수준에선 바로 권력의 행사가 지식에 있어서 일정 장의 대상들을 갖추도록 하는 한편, 과학적 지식은 이 동일한 권력의 절차들을(즉 사법 행위와 정신의학적 지식의 교착) 간접적으로 유효하게 만든다. 그러나 보다 깊은 수준에선, 바로 대상을 지시하는 행위 자체가 지식에, 즉 이 대상에 대하여 뭔가를 '할 수 있음'에 기입된 상태이다. 그런데 권력의 관점에서, 이 대상은 우리가 언어적 실천에서 보통 할 수 있는 것과 다름없는데, 이는 대상 자체가 행위와 결정의 배경을 가리키는 문법적 모델일 뿐임을 의미한다. 비트겐슈타인과 마찬가지로 푸코에게 있어서도 '대상의 확실성'은 어떤 명제를 통해 생성 중인 형식으로 내 언어의 바깥에 있을 부동의 실재에 도달할 가능성에서 유래하는 것이 아니라, 언표들이 문법에서 혹은 푸코의 용어를 사용하자면, 담론적 질서 안에서 차지하는 자리에서 나오는 것이다. 실제로 대상이란 그 자체와 그 자신의 출현에 선재하기라도 하는 것처럼 사물의 질서 속에

---

75 "Nietzsche, la généalogie, l'histoire", DE I, p. 1006.

76 프리드리히 니체, 《우상의 황혼*Crépuscule des idoles*》, Gallimard, 1974, p. 25.

서 발견되기를 기다리는 확실성이 아니라, "일련의 복합적인 관계들의 실증적 조건들 하에 존재"한다.[77] 그래서 역사적 실행의 '계보학적' 차원은 그것이 필요로 하는 보충점을, 해킹이 말한 것처럼 '존재화함', 즉 과학적 인식으로부터 대상들이 생성되는 것을 포착하길 노리는 지식 체계의 선행 **고고학**에서 발견한다. 고고학적 작업 방향은 기의에 대한 언어학적 분석이나 존재론 쪽으로가 아니라, 푸코가 썼듯이 "사물을 지시하기 위해 이 기호들을 사용하는 것 훨씬 이상을 행하는"[78] 대상 형성의 진정한 실행으로서의 **담론** 분석을 향한다. 언어 게임의 다형성, 다가성과 함께 담론에 있어서 이 '훨씬 이상'의 즉각적인 연합을 넘어, 언어를 순수 지시 작업으로 환원하는 것이 불가능함을 보여주는 데 의견이 일치한다면, 비트겐슈타인이 주장했던 것처럼 이 담론적 절차들이 삶의 형식의 진화와 함께 변하고 지식의 대상 자체를 영원히 재정의하는 문법적 형식들을 이끌어낸다는 것은 분명하다. 그런데 정확히 강의 흐름처럼, 담론적 실행들은 하상을 침식하고 파낼 뿐만 아니라, 그로부터 형태를 갖는다. 의미는 다른 것의 흔적으로서가 아니라, 우리가 담론을 세우는 규칙들에 매번 관련지을 수 있는 구문의 표현으로서 이해된다. 따라서 고고학적 분석이 조명하는 전前개념적 장은 개념의 관념적 구조들이 관계하는 메타-역사적 차원이 아니라, 푸코의 표현을 취하자면, '단일한 익명성'으로서, 비트겐슈타인의 표현을 취하자면 '문법'으로서 담론적 실천을 내재적으로 길

[77] AS, p. 61.
[78] AS, p. 67.

들이는 담론에 내재적인 규칙성들의 총체이다.[79] 그러나 담론에서 드러난 가능성들에 대한 이 장은 초월적 주체의 종합의 결과일 수 없다. 주체와 대상 사이의 형이상학적 대립은 무엇보다도 문법적인 것이다. 그것은 과학적 실천을 안내하고 주체가 차라리 언표 체제의 기능이 되기 위해 사고하고 판단하는 개체가 되기를 그치게 하는 개념적 패러다임이다.[80]

이제 고고학은 과학적 인식에 선행하고 이를 가능케 하는 담론적 규칙성(개념적 십자선 혹은 가능성들의 캔버스)의 문제 영역에 대한 연구를 의미하는데, 푸코는 이를 **지식**이라 부른다. 그는 지식이라는 것에 관심을 기울이면서, 형식적 구조도, 과학적 인식에 의해 형식화되기를 기다리는 야생적 경험도 조명하려고 애쓰지 않는다. 그에겐 경험의 충만함에서 원천을 찾을 과학의 환상만큼이나, 자기 안에서, 즉 자기 자신의 정체성 안에서 과학적 대상의 존재를 설파하는 인식론적 의식儀式을 따라 그 자신만의 단언에 기초하는 이성의 환상을 피하는 것이 중요하다.[81] 푸코가 말하는 지식은 오히려 "한 사회에서 인식, 철학적 관념, 일상적 견해뿐만 아니라 제도, 상업과 치안상의 실행, 풍속"으로 정의된다.[82] 요약하자면, 지식은 과학적 담론에서 필연적으로 표현을 찾지 못하고 그것이 사고될 수 있는 것의 장 자체를 정의한다는 전제하에 이 담론을 함축하고 가능하게 만드는 것이다. 다시 말해 그것은 결정된 삶의 형식

79 AS, pp. 82-84.

80 AS, pp. 68-74 참고.

81 "Sur l'archéologie des sciences", DE I, p. 757 참고.

82 "Michel Foucault, Les mots et les choses", DE I, p. 526 참고.

의 신경을 지배하는 믿음과 의견, 실행의 체계이다. 이는 강제적으로 언표될 수 있지는 않은, 아마도 심지어는 결코 사고되지 않았으나, 명제들 사이로 한 시대의 담론적 실행에서 자기를 **드러내는** 체계의 요소들과 같은 명제들로 구성된다. 이것이 이 명제들이 의식에 근거를 두고 있거나, 지식의 합리적인 완성에 반드시 답을 준다는 것을 의미하진 않는다. 우리는 오히려 이 명제들이 위 지식과 동일한 수준에 위치하고, 가끔은 내부적 변동이나 위기 혹은 형식화를 가리키며, 매번 지식을 재확인하고 수정한다고 말할 수 있을 것이다. 바로 여기서 우리는 푸코의 고고학과 비트겐슈타인의 상식 분석 사이의 유사점을 보기 시작한다. 지식의 영역은 상식의 하부구조와 형식화될 수 있는 과학적 규칙들 사이에서 매개적인 위치를 점한다. 그것은, 바닥이 파이는 하상의 운동과 본래 물의 흐름이 구분될 수 없는 최대 수위에 도달하는 강바닥에서 흐름, 보다 느린 흐름과 관계하기라도 하는 것처럼, 이 두 수준 사이의 연속성과 항상적인 교체를 그려낸다. 따라서 인식을 구성하는 이 취약하고 유동적인 균형은 과학적 인식과 상식의 의미의 구성 사이에서 영원히 갱신될 갈등 속에서의 한시적 타협이 아니라면 무엇이겠는가? 인식은 한편으론 하상 속에 놓여 있고, 다른 한편으론 이를 더욱 깊게 패이게 하는 이 흐름의 동역학적 차원과 같다. 상식적 언표들이 하상에 놓인 다른 시대의 철학적 혹은 과학적 이론들의 잔여라면 고고학, 즉 "우리 발아래에서" 확실성의 재정식화를 조사하는 행위는 한편으론 상식을 통과한 과학과 철학의 명제들과, 다른 한편으론 **문서고**, 즉 주어진 시대의 언표들의 출현과 변형을 결정하는 규칙들의 체계와 어떤 관련이 있다. 여기서도 분석은 여전히 '인간과학들', 즉 정상성의 쿤Thomas Kuhn적인 단계에 여전히 도달하지 못한 분야들의 틀 안에서 유효한 언표들을 만드는 담론적 실행의 수준에 전적으로 이어진다. 그러나 담론적 실행이 비담론적인 실행과 뒤섞이는 이러한 배경이 우리가 본 것처럼 계보학적 분석에서 결정적인 것이 될 실행상의 결정을 따라 천천히 윤곽을 드러내는 것은 바로 이 지식에 대한 연구에서이다.

그리고 바로 이렇게 우리는 고고학적 분석과 비트겐슈타인이 확실성에 관한 최후 저작들에서 보였던 행보 사이의 유비를 살펴볼 수 있다. 실제로 이 둘은 모두 철학이 확실성의 인지적 자연성과 자발성만을 보는 곳에서 지식의 문법적 구조화와 규제된 담론적 기술의 전체를 포착하고자 하였다. 따라서 이 두 경우에 철학의 임무는 함축적인 것의 수준(이 배경 지식의 얼개를 구성하는 협약과 결정의 체제)을 명시적인 것의 수준으로, 과학적 설명을 거치지 않고 가져가는 것인데, 이는 바로 이 함축적인 수준이 설명을 가능케 하는 바로 그것이기 때문이다. 그런데 푸코는 비트겐슈타인이 언급한 '외재론' 이해의 이 동일한 원리에 진정으로 동의하는 것으로 보인다. 그는 주어진 시대의 지식을 대상으로 삼으며, 우리의 과학적 설명의 틀을 구성하는 확실성의 얼개를 기술하길 원하는 것이다. 이런 의미에서, 담론의 분석은 그 감춰진 핵심이 아니라 "그 가능성의 외부적 조건들"을 조명하는 것을 목표로 한다.[83] 푸

83 미셸 푸코, 《담론의 질서*L'ordre du discours*》(이하OD), Gallimard, 1971, p. 55 참고.

코가 말하는 "현재의 역사"는 정확히 비트겐슈타인의 철학적 기획처럼, 우리의 사고방식을 결정하는 인지 이전의 초석을 "보여주려"는 역설적인 시도와 다름없다. 담론적 실행의 교착을 외부로부터 기술하려는 시도는 인식의 가능성 자체가 근거를 두고 있는 지식과 권력의 이 원환에서 더하지도 덜하지도 않게 간신히 빠져나오는 것으로 귀결될 것이다. 바로 이러한 틀에서 푸코가 그 자신만의 성찰에 부여했던 "맹목적 경험론"이라는 이상한 정의를 이해해야 한다. 사실상 어떤 인식론이 대상에서 인식의 모델 자체에 의해 자칭 사전에 결정된 어떤 필연적이고 비시간적인 특성들을 구별하기를 거부하면서도 대상에는 충실한 상태로 머물러 있다.[84] 이 맹목성은 지적 직관에 의해 이런 저런 방식으로 처분 가능해진 선재 대상들의 영역도, 미지의 대상에 적용되도록 결정된 방법도 미리 소유하지 않는 인식을 바로 환기해낸다. 푸코의 행보는 결코 모델을 순전하고도 단순히 거부하는 것에도, 대상을 사라지게 하는 것에도 있지 않다. 오히려 모델과 대상을 서로 맞세워 게임을 하도록 하고, 두 설명 모델 사이에 스며들도록 하는 것으로 보인다. 왜냐하면 한편으로는 대상을 결정하는 것이 방법 자체이므로, 대상은 방법의 타당성의 선험적 기준으로 기능하지 않으며, 다른 한편으로는 방법이 내부 상태의 관념적 차원에 처음부터 속하지 않는 대상에 적용되는 덕분에 지속적으로 수정되기 때문이다. 그보다 오히려 대상은 끊임없이 조사를 피하는 한계로서 존재한다. 방법

84 "Pouvoir et savoir", DE III, p. 404 참고.

과 대상은 실천적인 정정을 요구하는 무한한 발송에서, 엄격하게 상호 의존하는 것이다. "나에게는 일반 이론도 없고 확실한 도구도 없다. 나는 내가 할 수 있는 만큼 대상을 출현시키도록 예정된 도구들을 두드리고 만들어낸다. 대상들은 내가 만드는 좋거나 나쁜 도구들에 의해 조금 결정된다. 내 도구들이 잘못됐다면 그 대상들도 잘못된 것이다. […] 나는 내가 발견했다고 믿는 대상들을 통해 내 도구들을 교정하길 시도하며, 이때 교정된 도구가 내가 정의했었던 대상이 이것이 절대 아니었음을 나타나게 하는데, 바로 이렇게 나는 책에서 책으로 더듬거리거나 비틀거린다."

이러한 과정에선 문제의 본질 자체는 점진적으로 수정된 상태이다. 우리가 본 것처럼 대상은 항시 발견되기를 기다리는 부동의 실체가 아니고, 그 반대로 문제의 입지와 그에 따라서 대상의 본질 자체를 바꿀 새로운 도구들의 지속적인 발명을 함축한다. 이 모든 과정의 역설적 측면에 주목해보자. 푸코는 여기서 철학적 성찰의 내부에서, 외부로부터 포착해야 했던 이 동일한 '구성주의' 절차를 과학적 설명의 특성들 중의 하나로서 수용하고 싶어 하는 것으로 보인다. 그는 완전히 논리적으로 담론의 질서에 관한 자신만의 가설에 의해 그에게 금지될 것이 틀림없을 자세를 노골적으로 받아들인다. 그는 마치 그가 자신이 대상을 '만나는' 방식을 다투어 변화시킬 수 있기라도 하는 것처럼, 그의 시대의 문서고를 피하거나 밖으로부터 그의 삶의 형식을 응시할 수 있기라도 하는 것처럼 행동한다. 이러한 단언은 비트겐슈타인이 철학적 토대의 신화라고 비난했던 그 동일한 무한 퇴행으로 분석을 인도하는 것으로 보인다. 그런데 고고학적 탐구의 깊은 의미는, 우리가 살펴보았듯이, 인지적 실행이 그의 외부적 진리를 표현하기 위해 이 진리가 삶 자체와 하나일 뿐이기에 그 자신의 담론적 질서를 피할 수 없다는 점에 있다.

이러한 자세는 그것이 어떤 인식 형태에 도달해야 한다면 당황스러운 것일 터이나, 결정된 언어 게임에서 이른바 진행 방식(허구를 만들어내는 것)에 관계하는 한에선 그렇지 않다. 푸코는 광기, 기율적 실천 또는 성에 관한 그 모든 역사적 재구성이 "허구"를 의미하는 것임에 틀림없다고 주장했다.[85] 그러나 이것은 단순히 실재에 직접적으로 영향을 주기로 예정된 역사적 허구가 아니었다. 고고학적 방법은 비트겐슈타인의 기술처럼 "모든 것을 그 상태로 놔두고" "경험적인 것을 온전히 방임한다." 반면에 이러한 역설적인 행보는 비트겐슈타인에게서 빛을 보게 되는데, 그에게 있어서 다른 삶의 형식을 상상하는 데 있는 철학적 행위는 우리 삶의 형식에 뒤얽힌 개념적 구조화를 부정적으로 드러낸다. 푸코의 경우, 상상을 통하여 "외부로부터" 우리 확실성의 체계를 포착하려는 시도는 우리 인식의 얼개를 아우르기에 충분한 거리에 자리 잡을 지시 체계들에 대한 역사적 기술의 성격을 띤다. 다시 말해 문서고는 "우리의 현재를 둘러싸고 있는, 그것을 불쑥 나타나게 하는 그리고 그를 그의 이타성 속에서 지시하는 시간의 가장자리"이다. 문서고에 대한 기술은 "이제 막 우리의 것이기를 그친 담론들로부터 출발

[85] DE III, p. 236; DE IV, p. 40.

해" 전개된다.[86] 항시 이런 저런 방식으로 결국 우리에게 '이국적으로' 나타나는 공약불가능 체계의 역사적 분석을 이용하여, 푸코는 '우리 발밑의 수색'이라는 의미를 갖는 고고학 작업을 진행하고자 한다. 그러나 이러한 역사는 고대적인 것, 우리 현재에 아직 살아 있어 계속해서 결과를 산출하는 것의 역사이고, 우리에게 전해진 지식의 배경이 되기에는 불가능한 역사 상태로 남아 있기 때문에, 그 자체로는 '가능한 진리라는 또 다른 질서'의 허구일 뿐일 수도 있다.

지식의 고고학은 여기서 비트겐슈타인의 격언, "옳고 흥미로운 것은 이것이 이것에서 나왔다는 것이 아니라 이것은 이런 식으로 나올 수 있었을 것이라 말하는 것"임을 주장할 수 있을 것이다. 달리 말하여, 고고학은 역사적 설명의 "과학적으로 기초된" 방법론적 기준들이 아니라, "건축학"[87]을 향하는 대신에 — 비트겐슈타인의 방식으로 계속 말하자면 — "가능한 체계의 기초"[88]를 투명하게 보려는 진정으로 철학적인 개념적 조사에 응하는 것이다. 푸코의 고고학적 역사에서 이루어진 인과적 설명에 대한 비난은 비트겐슈타인의 '형태론적 이해'에서 본 이 모델이 진정으로 반향된 것이다. 게다가 이와 관련하여 비트겐슈타인에게 "역사적 설명, 즉 진화설의 형태를 띠는 설명은 소여를 모으는 — 그 일람표를 주는 — 방식일 뿐이다. 소여들을 그 상호 관계에서 고려하고, 시간 속

86 AS p. 172.
87 AS, p. 205.
88 RM, p. 19.

에서의 진화에 관한 가설을 세우지 않고 종합표에서 이들을 그룹으로 묶는 것 또한 가능함"을 주의하자. 이러한 역사적 이해 모델은 문서들이 해석되지도 이들의 결정된 틀로 옮겨지지도 않으나, 정리되어 분배되고 최종적으로 이들 사이에 맞세워져 "계열의 계열"[89]로 배열되는 '표'로 구성된다는 사유로 푸코를 이끈다. 이로부터 동일한 시대나 다른 시대들의 다른 인지적 모델들 사이의 비교와 대조에 근거한 역사적 인식론이 나오게 되는데(해킹은 이를 "그림 이전과 이후"라고 말한다), 이는 사고 체계에 개입된 깊은 변화를, 이러한 변화에 대한 설명을 위기 속에서 찾지 않고 보여주는 것이다.

《말과 사물》에서 전개된 역사적 분석은 고전적이고 근대적인 **에피스테메**, 즉 지식의 **가능성**의 틀을 재구성하는 것을 목표로 하는 비교 작업으로서 기술될 수 있을 터인데, 에피스테메의 대조는 고전주의 시대를 지배했던 표상의 — '투명성'의 — 사라짐을 제대로 보여준다. 근대의 시작은 인간의 지식 체계에서의 내포와, 인식 주체이자 대상인 "경험-초월적인 이중항"으로의 변형과 시기가 일치한다. 표상은 인간이 인간 세계의 조건이 되는 곳에서 본원적인 투명성이기를 그친다. '밤의 일부'가 언어에 도입되는 것은 바로 최초로 표상의 내재적인 인간적 능력에 맞설 때이다.[90] 인간은 그가 결코 완전히 통제하지 못하는 언어를 사용하는 동시에, 그가 설명하지 못하는 살아있는 조직에 속하는 것으로 자신의 모습을

89 AS, p. 13-16 참고.

90 미셸 푸코, 《말과 사물*Les mots et les choses*》(이하 MC), Gallimard, 1966, p. 337 참고.

드러낸다. 간략히 말해 그는 이성적으로 지식의 근거를 세우는 것의 불가능함에 직면한다. 인지 작업을 둘러싸고 있는 불투명성은 결국 인간의 표상 능력과 표상을 자체적으로 '인식'할 가능성의 동시적 출현에 내재적으로 연결되어 있다. 칸트는 이 불투명성을 인식 대상이나 예지체로 추방했는데, 푸코에 따르면, 그러자 모든 근대적 사고가 "대자성의 형식에서 즉자성의 내용을 성찰"할 것을 임무로 하게 되었다. 이때 사람들은 인간은 인지적 경험을 기초했던 그 배경을 명백히 함으로써만 소외로부터 벗어날 수 있을 것으로 확신했다. 이와 반대로 비트겐슈타인과 푸코의 기여는 기초자가 된 기초 없는 행위의 필연적 결과로서, 마치 비판을 전복하며, 즉 이를 과학적 인식의 신화적 절차가 아니라 투명하고 필연적인 기초를 위한 철학적 고정관념에 적용하며, 비판적 기획을 반복하는 것이 중요하기라도 한 것처럼, 이 불투명성이 '존재'하도록 내버려두는 데 있다. 푸코의 허구는 비트겐슈타인의 상상력처럼, 해석적 형태의 설명 영역에 속하지 않는다. 이는 그 허구가 몰래 사고하는 것으로부터 사유를 해방시키는 것과도, 여전히 표현되지 않은 의미 창고를 세상 밖에 드러내는 것과도 상관이 없다. 둘 모두에게 의미는 결코 필연적 실재의 해석이 아닐 '행위', 달라질 수 있는 실행의 표현으로서 이해된다. 아마 다른 모든 철학자들보다 더 철학에 대해 '해체적' 소명을 지녔을 19세기적 두 철학자들이 기초를 사건의 **형식**으로서, 즉 하나의 가능성으로서 사고하기 위해 이를 이론적으로 관찰할 수 있는 **사물**로 간주하려는 모든 유혹을 동시에 어떻게 포기했는지 확인하는 것은 놀라운 일이다. 이들 각각에 대해 철학이 우리가 세계를 '짓는' 인지 모델로서의 기술 행위로 제시된다면, 이 행위는 더 이상 인식을 낳을 수 없고 단지 새로운 관점들을 창조해낼 뿐이다. 이것이 바로 무질Musil이 "가능성의 의미", 즉 "'또한 좋을' 수 있을 모든 것을 생각하고, 존재하는 것에 존재하지 않는 것보다 더 많은 중요성을 부여하지 않는 능력"이라 불렀던 자세이다.

3장
푸코의 고고학적 기획에 대한 의미론적 보강

투오모 티사라(Tuomo Tiisala)

이언 해킹은 1973년 영국 학술원에서 "'파리통flycatcher'은 선사 시대에 모델화되었고 고고학만이 그 형태를 보여줄 수 있다"라는 말로 강연을 마쳤다. 나는 당시 청중들이 이 발언의 금언적 성격 때문에 이를 과학적 개념에 대한 각별한 의견의 표현으로 받아들이기보다는 오히려 당혹스럽게 여겼을 것이라고 상상했다. 이때 과학적 개념이란, 그가 푸코와 비트겐슈타인의 특정 관념들에 따라 종합하고 그들의 가장 중요한 철학적 은유들 중 두 개를 연결해 촉진한 것이다. 만일 오늘날 푸코 저작의 일부를 비트겐슈타인 철학의 어떤 측면에 접근시킨다는 생각이 이들이 살았던 시대에 앞서 있지 않은 우리들 중 누군가에게 더 이상 이해 불가능한 것으로 보이지 않는다면, 이러한 철학적 감성의 변화는 본질적으로 "비트겐슈타인과 푸코 사이의 특정 근접 각도"를 최근에 식별한 아널드 데이비슨의 작업 덕분이라 할 수 있다. 사실 나는 그가 연결점이 서로 아주 다른 것들 중 두 개를 식별해냈다고 생각한다. 첫 번째는 우연적이긴 하지만 의미론적 이해의 장소로서 규제되고 그만큼의 특별한 개념상의 가능성을 구성하는 담론적 실천에 관한 비트겐슈타인과 푸코의 유비적 개념화에 근거를 두고 있다. 두 번째 연결점은 실천으로서의 철학 자체에 관해 두 철학자에게서 볼 수 있는 독특하면서도 유사한 개념화에 있다. 개념적 혼동을 해소하며 유용해지는 데 전념하는 해명 행위로서의 철학, 개인들이 그들의 가능 경험 양식을 뿌리 내리는, 역사적으로 개별적이고 문화적으로 조건 지워진 그들의 예속 양식을 식별하고 이후에는 수정할 수단을 획득하는 자기 기술로서의 철학 말이다.

이후 이어질 글에서는 푸코와 비트겐슈타인 사이의 위 두 연결점 중 첫 번째에 전적으로 관심을 기울일 것이다. 나는 우선 푸코의 고고학적 기획에 대한 이해 자체가 우연적으로 규제된 실천과 관계하는 과학적 개념들의 형성에 관한 견해에 결정적으로 달려 있음을 주목할 것이다. 그 다음 이러한 푸코의 개념화를 언어 게임에 관한 비트겐슈타인의 몇몇 핵심 관념들과 체계적으로 관계 지을 것이다. 특히 푸코의 고고학적 기획을 이해하는 데 있어 중심이 되는 개념, 즉 역사적 아프리오리의 의미를 보다 잘 이해하기 위해 《확실성에 관하여》에서 연결되어 있는 비트겐슈타인의 인식론적 관념들에 집중하겠다. 푸코의 고고학적 기획은 사유 체계들을 그것의 타당성보다는 가능성이라는 조건의 수준에서 연구한다는 점에서 독창적이다. 보통의 역사적 연구는 과학적 오류들을 비난하고 어떤 오류 언표들과 그에 상응하는 믿음들이 해당 분야에서 이후 전개되는 역사에 어떻게 영향을 미쳤는지를 검토하는 데 전념한다. 이에 반해 푸코의 고고학적 접근 방식은 특정한 유형의 지식, 즉 일정 형태의 참이거나 거짓인 언표들의 가능성의 조건들에 관련된 보다 철학적인 문제에 의해 그 동기가 부여된다.[1] 문제는 이런 저런 언표나 이론이 참인지를 아는 것이 아니라, 어떤 조건에서 이런 언표나 저런 이론을 참이나 거짓을 주장하는 것으로 정식화하는 것이 가능해졌냐는 것이다. 이러한 문제화는 "개념들이 공존할 수 있는 장과 이 장이 따르는 규칙들"[2]에 속하는 역사적 변형들에 관한 푸코의 관심의 저변에 깔려 있다. 푸코는 개념의 별자리들과 이들의 가능한 형태들을 결정하는 규칙들을 구체적이고 변화하는 담론적 실천들과 관계하여 동시에 개념화한다.

담론적 실천은 "이름 없고, 역사적이고, 언제나 시공간 속에서 규정되는 규칙들의 집합으로서, 또는 주어진 사회적, 경제적, 지리적 혹은 언어적 테두리 내에서 언표적 기능의 실행 조건들로서"[3] 즉 일정 형태의 언표를 정식화하고 사용할 가능성의 조건들로서 정의되기에 이른다. 푸코는 과학적 인식을 만들어내려는 의도와 함께 전개된 담론적 실천에서 언표는 진리 값에의 명료한 지망자 valeur de vérité가 되기 위해 통사적으로 잘 형성되고 논리 법칙을 따라야 함을 인정한다. 그는 자신의 고고학에서 역사적 변형들을 조명하고자 하는 담론적 실천들의 규칙들이 논리적이지도 언어적이

1 "Foucault", DE IV, pp. 631-32.

2 AS, p. 81.

3 AS, pp. 153-54.

지도 않다고 설명한다. 그 대신에 그 규칙들은 지식의 대상이 될 수 있는 대상들의 영역과 형태를 주어진 담론적 실천에서 정의하며, 인식 주체가 그 대상들의 장에 관계하여 차지해야 하는 특정한 입지를 결정하고, 비록 셀 수 없는 것은 아닐지라도 다양한 이론적 완성들을 가능하게 하는 특수한 개념 공간을 낳는 것들이다. 담론적 실천들의 규칙들은 마치 이들만의 기능이 외부적 강제들을 언표들의 형성에 적용하는 것이기라도 한 것처럼, 담론의 전개를 단순히 규제하는 것이 아니다. 이것들은 특수한 형태의 지식을 낳고, 참이거나 거짓인 일정 종류의 언표들을 정식화하는 가능성 자체를 구성한다. 특수한 개념적 자원들을 구성하는 동시에 그 자체로 역사적으로 구성되어 차후에 변형될 수 있는 담론적 실천의 규칙들의 이중적 본성을 포착하기 위해, 푸코는 이것들을 역사적 아프리오리라고 한다.[4]

나는 푸코의 역사적 아프리오리 개념이 주어진 담론적 실천에서 역사적으로 역동적인 방식으로 주체화의 양식을 결정하는 일련의 강제들을 통합하는 것을 인정한다. 하지만 여기서는 이것을 전적으로 가능 지식의 새로운 대상들을 구성하는 변화하는 개념적 조건들 전체로서 조사할 것이다.[5] 즉 나는 그 객관화 양태에서 푸코의 역사적 아프리오리에 전적으로 집중하겠다.

우리가 기대할 수 있는 것처럼, 푸코의 고고학과 칸트의 비판 철학 사이엔 긴밀한 관계가 있다. 왜냐하면 아마도 고고학적 기획의

4 AS, pp. 167-8.

5 AS, p. 81.

동기를 설명하고 그 특수성을 표지하는 최고의 방식은, 그것이 어느 정도로 지식 일반의 가능 조건을 결정하려는 칸트의 시도와 달라지는가를 설명하는 데 있을 것이기 때문이다. 칸트에게 결정적인 인식론적 문제는 모든 인간 경험과 모든 경험 지식의 필요충분조건들을 정의하는 것이었는데, 이는 또한 그 침범이 강력히 의미가 없는 것이기에 근거 없을 지식의 필연적 한계들을 식별하는 과제를 야기했다. 칸트는 경험과 경험적 판단들의 초월적 조건들을 인간의 가장 일반적인 인지 구조들에 위치시킨 반면, 푸코는 이러한 인간학적 보편자[6]들에 허여된 방법론적 우선성에 명백히 반대하며 "과학적 담론에 대한 역사적 분석은 최종적으로는 인식 주체론보다는 담론적 실천론에서 나와야 할 것"임을 주장한다.[7]

푸코는 지식 일반에 대해서는 논하지 않았으나, 항상 역사적 생성의 맥락에서 지식의 몇몇 특수한 형태들에 집중했다. 그는 구체적이고 변화하는 담론 실천들의 규칙들이 개별적인 사유 체계들과, 그 결과 어떤 대상의 장에서 특수한 형태의 지식을 산출할 가능성을 어떻게 구성하는지 연구한다. 이러한 가능성의 조건들은 지식의 가능성 자체가 역사적 수정들에 예속되지 않는 일련의 다른 조건들, 즉 초월적 조건들에 의해 이미 보장되지 않는 한에서만 담론적 실천들의 장에서 작동할 수 있다. 담론적 실천의 규칙들에 의해 제시된 개념적 조건들이 칸트의 초월적 조건들과 인접하다면, 그것들은 필연적이고 응고된 하나의 전체를 형성할 것이고, 이

6 DE IV, p. 634.

7 "Préface à l'édition anglaise", DE II, p. 13.

를 역사적으로 연구하는 것은 어떤 의미도 없어 푸코의 고고학적 기획을 완전히 이해할 수 없는 것으로 만들 것이다. 역으로, 주어진 담론적 실천에서 진리 값에 명료한 지망자들로서 정식화될 수 있는 언표 유형의 개념적 조건들을 사유와 지식 일반의 필연적 한계들로 정의할 초월적 조건들에서 분리시킴으로써, 푸코는 자신이 연구하는 역사적으로 특수한 개념적 조건들이 있는 그대로 초월적 주체의 인지적 일반 능력들로 혹은 또 다른 유형의 인간적 보편자로 환원될 수 없다는 것을 전제하고 있다. 푸코는 자신의 철학에 대한 비판적 작업으로서의 그의 철학관 — 그가 자신의 윤리적 사유에서 받아들인 개념화 — 과 "계몽이란 무엇인가?"라는 질문에 대한 칸트의 유명한 답 사이의 연속성에 관해 토론할 때, 고고학과 초월철학 사이의 구별을 분명히 정식화한다.

푸코와 칸트는 공통의 비판적 에토스를 공유하는데, 그것은 지식의 한계들을 이해관계로 갖는다. 두 철학자 각각의 비판적 기획들은 이 한계들을 정반대의 위치들로부터 별개의 목적들을 가지고 상정하는데, 칸트의 기획은 인간 이성의 필연적 한계들을 결정하는 데 전념하고, 푸코의 기획은 우리가 비시간적 필연성으로 받아들이는 사유 양태들의 역사적 우연성을 보여주길 애쓴다. 결과적으로 "필연적 한계 형태에서 실행된 비판을 가능한 건너기 형태에서의 실천적 비판으로 전환시키기"[8]를 시도하는 푸코는 그의 비판적 기획이 방법상 특히 고고학적임을 강조한다. "가능한 모든

[8] "Qu'est-ce que les Lumières?", DE IV, p. 574.

인식이나 도덕 행위에서 보편적 구조들을 끌어내려는 것이 아니라, 우리가 사유하며 말하고 행하는 것을 그만큼의 역사적 사건들로서 분절하는 담론들로 다룬다는 의미에서 — 초월적인 것이 아닌 — 고고학적인"[9] 것 말이다. 개념적 불연속성들에 대한 푸코의 이러한 감성은 조르주 캉길렘의 생명과학사에 관한 작업들의 유산이었고, 정신병리학, 임상의학 그리고 다른 인간과학의 역사에 대한 자신의 연구들에 의해 강화된 것이다. 이것은 그를 "구조와 사용 규칙들이 다르며, 서로를 모르거나 배제하고, 논리적 건축의 통일성에 들어갈 수 없는 개념들"[10]에 맞세웠다.

칸트의 초월적이고 추상적인 관심과 역사적으로 변하는 개념적 조건들에 대한 푸코의 구체적이고 고고학적인 관심 사이의 차이를 강조하기 위해선, 푸코가 일찍이 행한 시도를 상기하는 것이 유용하다. 그는 언표들의 담론적 수준과 다른 역사적 층위들의 상호 의존에 관심을 두어 "이 언표들이 사건들로서 그리고 그토록 이상한 이들의 특수성 안에서, 담론적 본성이 아니라 기술적, 관습적, 경제적, 사회적, 정치적 등등의 차원일 수 있는 사건들에 어떻게 연결될 수 있는지를 포착하려"는 시도를 했다.[11] 주어진 담론적 실천과 당대의 다른 담론적 실천들 그리고 주어진 사회적, 정치적, 경제적 조건들 사이에 "상관관계의 다형적 연결망"이 존재한다.[12] 한 담론적 실천 내부의 개념적 변화들은 담론적인 동시에

9 상동.

10 AS, p. 52.

11 "Sur l'archéologie des sciences" (1968), DE I, p. 707.

12 "Réponse à une question", DE I, p. 680.

비담론적인 인접한 실천들 내에서의 전개와 빈번히 연결되는데, 푸코는 이 가시적 연결을 이를테면 개념적 조건들의 가능성의 조건들로서 만드는 것이 결과적으로 유용함을 강조한다. 이러한 정식화는 개념 수준에서의 변화는 주어진 역사적 맥락의 경제적 조건들이 항시적으로 솔직하게 구현된 것이라는 마르크스주의적 사전 전제에 대한 비판이기도 하다. 임상의학사는 역사적으로 특수한 다양한 사회적 요소들에 민감한 것으로 보이는 개념들의 형성에 관하여 구체적이고 지지대 역할을 하는 사례를 제공하는데, 이는 푸코가 개념적 구조를 주어진 경제구조의 상부구조로 식별하려는 유혹에 결코 굴복하지 않고서 이루어진다. "과학적 개념은 그것이 그 안에서 출현했다고 할 수 있는 경제적 조건들을 나타내지 않는다.

예를 들어 조직 혹은 조직상 상해의 개념은 18세기 말 프랑스의 실업 상황과 — 문제가 표현과 관련해 제기된다면 — 아무 관계가 없다. 그럼에도 실업과 같은 경제적 조건들이 일정 형태의 입원의 출현을 야기했는데, 이것이 일정한 수의 가설들을 허용했고 […] 최종적으로 진료사에서 근본적인, 조직 상해의 관념이 출현했다"는 것은 또한 명백한 사실이다.[13] 이처럼 개념들을 당연히 안정시키는 어떤 추상적인 통일 원리에 의거하여 그것들을 탐색하려는 시도들을 명백히 거부하며, 푸코는 개념들이 생성되고 수정되는 장소들로서의 담론적 실천들에 전적으로 집중할 것을 요구한다.

13 "Entretien avec Michel Foucault", DE II, p. 161.

"가상적 연역 체계에 개념들을 재정립하려 하기보다, 언표들이 나타나고 순환하는 그곳에서 그것들의 장의 조직을 기술해야 할 것이다."[14] 따라서 푸코는 개념들의 형성에 관한 자신의 입장을 다음과 같이 요약한다. "사실 우리는 더 이상 외적 번역이 아니라 개념들의 출현 장소인 담론 자체의 수준에서 문제를 제기한다. 다시 말해 우리는 담론의 상수들을 개념의 관념적인 구조들에 부착하는 것이 아니라, 담론의 내적 규칙성들에서 출발하여 개념적인 망을 기술한다. 우리는 언표 행위의 복수성을 개념들의 정합성에, 그리고 다시 이 정합성을 메타-역사적인 관념성의 말 없는 명상에 복속시키지 않는다. 그러고 나서 우리는 그 역의 계열을 수립한다. 무모순의 순수한 목적을 개념적 양립 가능성과 불가능성으로 엉킨 망 속에 재배치하고, 이러한 엉킴을 담론적 실천의 성격을 규정하는 규칙들에 관계 맺어준다."[15]

여기서 푸코는 개념이란 사람들이 말하거나 쓰는 등의 변화하는 여러 방식들과 독립적으로 어떤 메타-역사적인 영역에서 살아남는 비시간적 추상적 실체도, 인간 뇌의 인지적 구조에 기입된 정신적 실체도 아니라고 주장한다. 개념망은 언어적 표현들의 반복된 사용에 의해서만 나타나는 것이다. 이처럼 개념들의 체계 구조는 몇몇 단어들과 몇몇 문장들의 사용으로 규칙적으로 교착된 일군의 도식들로서 정의된다. 한 개념이 일정한 담론적 실천에서 특수한 규칙들에 따라 사용된 낱말에 이렇게 동일시된다고 해서, 그

14 AS, p. 75.

15 AS, p. 83.

용법이 이를 둘러싸는 다른 낱말들의 용법에서 분리되어 그로부터 영향을 받지 않는다는 것을 의미하는 것은 아니다. 오히려 낱말들은 문장 안에서만 사용되기(혹은 가끔은 그 자체가 문장들이기) 때문에 그것들의 사용 도식들은 언표들의 형성 속에서 교차하고 뒤얽힌다. 따라서 특정 낱말들의 반복된 용법을 통해 나타나는 개념망은 서로 연결된 요소들로 전형적으로 구성된다. 사용 도식들이 안정을 이루고 개념들로 이루어진 특정한 별자리를 만들어내는 것으로 보아, 이들은 연관된 언표들에 상대적인 의미론적 안정성을 마찬가지로 부여한다. 푸코가 '언표'라는 말로 정확히 의미하고자 한 것과, 언표들이 메타-역사적으로 의미적인 추상들에 대한 지시뿐만 아니라 언표된 문장들에 속하는 통사적 기준들로도 식별될 수 없다고 단언하는 이유를 이해하기 위해선, 언표와 어구 사이, 언표와 언표행위 사이에서 그가 행한 용법상의 구별을 다뤄야 한다. 각 언표행위가 언어적 기호들의 한 집합이 특수한 시공간에서 발화된 개별적인 사건, "반복되지 않는 하나의 사건"[16]인 반면에 "언표 자체는 언표행위라는 순수 사건으로 환원될 수 없는데, 왜냐하면 언표가 지닌 물질성에도 불구하고 언표는 반복될 수 있기 때문이다."[17] 푸코는 원리상 무한히 반복될 수 있는 통사론적 요소들의 연쇄로 간주되는 어구와 언표를 구분하면서, 언표는 반복될 수 있으나 "언제나 엄밀한 조건들 하에서"[18] 그렇다며 유보를

16 AS, p. 133.

17 AS, p. 134.

18 AS, p. 138.

둔다. 물론 우리는 출발점이 되는 언표를 정식화하기 위해 사용된 어구를 다시 발화함으로써 하나의 언표를 전형적으로 반복한다. 그럼에도 여러 세기에 걸쳐 이루어진 담론과 이론화에 의해 서로 분리될 수 있는, 동일한 어구의 두 언표행위들 사이에 연관된 낱말들 중 하나의 사용을 지배하는 규칙들이 변하고, 그 결과 그 낱말은 새로운 개념을 나타내기에 이른다. 의미론적 내용의 구성은 한 문장의 맥락에서 한 낱말의 의미론적 내용의 변화가 문장 전체의 명제적 내용의 변화를 초래함을 함축하기 때문에, 동일한 문장의 이러한 두 언표행위는 두 개의 다른 언표들을 구성할 것이다.

따라서 푸코의 언표 개념은 언표행위의 명제적 내용으로 정의된다. 어구를 발화하는 언표행위가 구성하는 언표의 정체성은 어구가 사용되는 담론적 실천에서 구해질 수 있는 개별적인 개념 자원들을 통해서 그리고 이 자원들에 대해 상대적으로 결정된다. 결과적으로 푸코가 '엄밀한 조건들'에서만 일정 형태의 언표가 반복될 수 있는 정체성을 획득할 수 있다고 말할 때, 우리는 그 가능성의 조건들을 담론적 실천에서 포착된 언표행위들 자체를 통해 연마되고 풍부해진 특수한 개념 공간의 구조에서 탐지해야 한다. 그는 언표의 반복될 수 있는 정체성에 관한 자신의 논의를 다음과 같이 요약한다. "사용 체계들, 사용 규칙들, 이들이 그 안에서 어떤 역할을 수행할 수 있는 별자리들, 이들의 전략적인 잠재성들은 언표들에 대해 하나의 안정성의 장을 구성한다. 언표행위의 모든 차이에도 불구하고 그 통일성 내에서 언표들을 반복할 수 있게 해주는 장 말이다. 그런데 이 동일한 장이 가장 현저한 의미론적, 문법적 혹은 형식적 동일성들 아래서, 더 이상 등가성이 존재하지 않을 그리고 새로운 언표의 출현을 분명 목격해야 할 문턱 또한 정의하는 것이다. […] 언표의 일정함, 언표행위들의 단일한 사건들을 관통하는 그의 동일성의 존속, 형상들의 동일성을 관통하는 그의 복제물, 이 모든 것이 언표가 투여된 사용장의 기능이다."[19] 이 인용구에서 푸코의 고고학적 기획의 중심에 있는 근본적인 의미론적 착상을 추출해낼 수 있다. 그것은 바로 낱말들의 사용을 담론적 실천에 고정하는 규칙들이 의미적으로 강제적인 동시에 역사적으로 우연적인 개념적 연결망을 구성하며, 그와 동시에 이처럼 새로운 유형의 언표들의 형성과 새로운 조사 행보의 배치를 가능하게 한다는 것이다.

이처럼 푸코는 규정되었으나 우연적인 담론적 실천들과의 관계 속에서 이론적 담론들을 개념화하는 작업을 통해 고고학적 기획을 구속하고 있던 두 개의 주요한 문제를 해결할 수 있었다. 먼저 담론을 실천으로 상정하는 것은 푸코가 이번을 마지막으로 의미론적 추상들을 필요로 하지 않고 역사에서 산출된 구체적 발화들에 전적으로 집중하는 것을 가능케 했다. 다음으로, 보다 중요한 것은 고고학적 기획에서 핵심적인 생각을 설명하기 위해 규정된 담론적 실천의 개념, 즉 특수한 경험적 인식들의 가능성이 역사적으로 변하는 조건들의 존재를 필요로 했었다는 점을 발견한 것이다. 이러한 우연적 규범성의 원천에 대한 임시적인 설명은 오직 과

[19] AS, pp, 136-37.

학사를 담론적 실천들과 관련하여 개념화하고 역사적 아프리오리를 그런 담론적 실천의 규칙들 전체로 식별함으로써 제안될 수 있었다.[20]

이제 우리는 푸코의 담론적 실천들에 대한 역사적 분석들을 언어 게임에 관한 비트겐슈타인의 연구와 연결시키는 본질적인 방법론적 원리, 즉 추상적 상수로서의 의미론적 내용들을 방기하고 그 대신에 개념들과 명제들이 담론적 실천들에서 구체적인 작업들을 통해 어떻게 나타나는지를 물을 수 있다. 비트겐슈타인이 언어를 언어 게임에서 행해진 작업들과 관련하여 연구하기 전에는, 의미론적 내용들 사이의 이러한 논리적 연결이 만들어졌던 특수한 담론적 실천들에 주의를 기울이지 않고 추상적·논리적 관계들로 개념들과 명제들을 분석하는 것이 전형적이었다. 콰인이 '추가적 추상 실체들 — 즉 명제들 — 을 진리의 잉여 담지자로서 제시하는' 특권적인 후속 절차를 거부했을 때조차, 사실 그는 통사론적으로는 정의되나 그렇다고 해서 덜 추상적이지는 않은 진리의 운반체, 즉 '그 용어법의 일시적인 사실과 일치하나, 자주, 한 번 혹은 영원히 실현될 수 있는 언어적 형태', '그 존재가 […] 발화의 결점에 의해 위태로워지지 않는' 형태인 영원한 문장을 도입하고 있었기 때문에 그에 대한 추상적 접근법을 지지했다. 추상적 접근법의 대세가 우리가 비트겐슈타인이 언어 게임에 대한 그의 언급과 함께 공헌한 그 혁명적 성격을 이해하게 되는 반면을 구성하는

20 MC, p. 171.

것과 마찬가지로, 과학사의 개념들과 명제들에 대한 연구에서 방법론적 문제들에 관한 이 대안적 접근법은 중요해진다. 데이비슨이 비판적 시각으로 지적했던 것처럼, '자율적 실체들로 간주되고 그 자체로부터 식별되는 개념들의 고정된 이미지는 우리가 사유 체계의 역사를 쓰는 방식에 심원한 결과들을 가질 수 있거나 실제 가지고 있'는데, 이는 개념들의 이러한 이념화와 탈맥락화가 우리가 특수한 개념 자원들과 구체적이고 우연적인 담론적 실천들 사이의 논리적 의존을 포착하는 것을 방해하기 때문이다. '그 존재가 발화의 결함에 의해 위태로워지지 않는' 보편자로서의 의미론적 내용들이 가지고 있는 이러한 이미지는 푸코가 "우리는 아무런 시대에서 아무거나에 대해 말할 수 없다"[21]고 강조하며 표현했던 과학사의 이미지와 절대적으로 조화되지 않는다. 다른 개념적 가능성들의 역사적 분산이 초월적 주체의 보편적 인식들로 환원되는 것이 푸코의 고고학적 기획을 이해하는 것 그 자체와 모순되었던 것과 마찬가지로, 구체적인 역사적 실천들의 개념적 조건들을 발본하고 비시간적 불모성에서 이들을 대체하는 의미론적 추상들은 넘어설 수 없는 방법론적 장애를 이룬다.

따라서 연역적 체계에 기입될 준비가 항상 되어 있는 추상적 상수들로서 명제들을 다루는 접근법에 정확히 맞서,[22] 푸코는 자신이 문제들도 명제들도 아닌, 특수한 역사적 조건들에서, 즉 규정된 일정한 담론적 실천에서만 생성되고 반복될 수 있는 언표들을 연

[21] AS, p. 61.

[22] AS, pp. 107-108.

구한다고 강조했다.[23] 푸코는 《지식의 고고학》을 출판한 직후의 한 인터뷰에서 언표들을 이들의 존재 수준에서 연구한다고 말하며 바로 이 점을 명확히 한다. "문장은 언어 규칙들에 의해 연결된 요소들의 문법적 단위이다. 논리학자들이 명제라 부르는 것은 규칙적으로 구성된 상징들의 총체이다. 어떤 명제에 대해 우리는 그것이 참인지 거짓인지, 올바른지 아닌지를 말할 수 있다. 내가 언표라 부르는 것은 문장이나 명제가 될 수 있으나 그 존재의 수준에서 고려되는 기호들의 총체이다."[24] 이 수준이란 그 존재가 말할 것도 없이 발화의 결합에 의해 정말로 위태로운, 역사적으로 구체적인 담론적 실천의 수준이다.[25] 내가 언어를 실천으로서 접근하는 것은 푸코의 고고학적 연구를 비트겐슈타인의 후기 철학에 접근시키기를 긍정하는 것이다. 하지만 어떤 경우에도 수많은 중요한 차이들을 넘어서려는 의도는 없다. 개념적 구조들이 낱말들의 우연한 규칙 사용에 논리적으로 의존한다는 점에 두 철학자가 합의할지라도, 언어적 실천들의 복수성은 비트겐슈타인과 푸코 각각의 관심과 논의에서 실질적으로 차이를 나타낸다.[26] 푸코와 캉길렘에 따르면[27] 이론적 지식과 관련해 우리는 어떤 특수한 규범들에 의존하지 않고 관련된 개념들을 포착할 수는 없다. 그러나 비트겐슈타인의 주요 관심사인 일상 언어 행위에서는 규칙들과 적

23 AS, pp. 137-138.

24 "Michel Foucault explique son dernier livre", DE I, p. 778.

25 "Sur les façons d'écrire l'histoire", DE I, p. 595.

26 AS, 83.; RP, §384, 532 참고.

27 "Sur l'archéologie des sciences", DE I, 696.

용 규준들이 상당히 약하게 연결되며, 궁극적으로는 이런 연결이 부재하다고 할 수 있다. 나는 모든 언어적 표현의 적용 규준이 규칙을 전제하는지, 아니면 아주 다양한 경우에 동일한 유형의 규칙이 있는 것인지 아는 문제를 논의할 수는 없다. 그러나 '질량'이나 '관음증'과 같은 학문적 개념들의 형성과 적용이 정말로 규정된 담론적 실천들을 요구한다고 단언하는 데 있어서는 논쟁하지 말아야 할 것이다. 적용 규준들의 우연한 독특성이 보다 일상적인 언어 게임 속에서 어떤 표현들의 용법의 성격을 규정한다는 것이 비록 참일지라도, 이것이 규정된 담론적 실천들과 관련된 과학적 개념들의 형성에 대한 푸코의 의견이 비트겐슈타인의 언어 개념과 합치할 수 없음을 의미하진 않을 것이다. 비트겐슈타인이 그 기능이 낱말들의 사용을 요구하는 다양한 종류의 실천에 전념했던 정도의 차가 어찌됐건, '가족 유사성'이라는 용어에서 다른 언어 게임들 사이의 관계들에 대한 그의 개념은 우리가 과학사에서 발견하는 것과 같은 이론적으로 완성된 담론적 실천들을 또한 아우르는 것이다. 동일한 가족의 구성원으로 인정받기 위해선, 이 실천의 하위 집단이 언어 게임의 나머지를 규정하는 모든 특징들, 단지 이것들만을 내포해야 할 것이라는 생각을 강조하는 것은 비트겐슈타인이 언어라는 개념을 그가 제시한 결정적인 예시들의 하나로 사용하며 가족 유사성에 대한 그의 언급들과 함께 분명 불신하는 척했던 통일성 규준들의 이미지 자체에 호소하는 것일 터이다.[28]

---

28 RP, §65-67.

그리고 푸코의 역사적 관점과 비트겐슈타인의 공시적 접근법 사이의 선명한 차이에 관해선, 비트겐슈타인이 전반적으로 비역사적인 경향이었음에도 불구하고 그가 언어 게임들에도 역사적인 차원이 있음을 인정한 것을 주목하는 것이 중요하다. 예를 들면, 비트겐슈타인은 서로 다른 문장의 종류가 얼마나 있는지에 대해 스스로에게 질문을 던지면서, 우선 언어적 실천들의 다양성을 강조하며 "우리가 '기호', '낱말', '문장'이라 이름붙인 것의 용례의 범주는 무수하다"고 적은 후 우리의 관심을 이것들의 우연적 성격으로 옮기며 "이 다양성은 결코 고정된 것, 단번에 영원히 주어지는 것이 아니다. 그 반대로, 새로운 유형의 언어, 새로운 언어 게임이 볕을 본다고 말할 수 있을 것인 반면, 다른 것들은 낡아가고 망각 속으로 떨어진다"[29]고 지적한다. 괄호 안에 따르는 언급("수학에서의 변화가 이 상황과 비슷한 이미지를 우리에게 줄 수 있을 것이다"[30])이 중요한데, 왜냐하면 이는 비트겐슈타인이 일상적 언어 실천에서의 변화들을 참조할 뿐만 아니라 과학적 실천들에서 이론적으로 완성된 언어 사용에 속하는 역사적 변화에도 의거함을 보여주기 때문이다. 역사적 아프리오리에 대한 푸코의 관심을 기억한다면, 경험적 인식을 긍정할 수 있는 장의 한계들을 정의하는 인식론적 토대들의 역사적 변화들에 공들인 비트겐슈타인의 인식론적 논의(《확실성에 관하여》[31])는 특히나 흥미롭다. 비트겐슈타인

[29] RP, §23.

[30] 상동.

[31] OC, §65, 256.

의 핵심 아이디어는 경험적 언표들의 검토가 보다 넓은 믿음들의 체계의 내부에서 반드시 산출되고 이런 저런 언표들의 진리가 재론되지 않음을 항상 전제한다는 것이다. "내가 꽉 붙잡고 있는 것은 하나의 명제가 아니라, 명제들의 둥지이다."[32] 확실성이 이런 체계의 어떤 명제들에 부여되는 한에서만 다른 명제들이 거기서 검토될 수 있는 것이다. "우리가 그 모든 것을 의심하지 않는다는 것은 바로 우리가 판단하는 방식, 따라서 우리가 행동하는 방식이다."[33] 의심할 수 없는 것으로 포착된 언표들이 정당화에 도전하는데, 이는 바로 이들의 인식론적 토대화의 기능이 주어진 언어 게임에서 참과 거짓의 문제의 출현 자체를 가능하게 만들기 때문이다.[34]

비트겐슈타인은 경험적 언표들과 정당화 게임의 바깥 또는 경계에 머무르는 언표들 사이에 분명한 경계를 도입하려 애쓰지 않는다. 그러나 한 언표가 언어 게임에서 수행할 수 있는 이 두 가지 인식론적 역할들 사이의 차이가 그의 인식론적 논의에서 중요한 구분을 표시한다.[35] 비트겐슈타인은 "우리가 판단들을 판단하는 행위의 원리들로 사용한다"[36]는 사실을 강조한다. 그러나 경험적 언표들의 검증과 반증에 관련해 이 규범적인 역할을 수행할 수 있는 것은 단지 형식 논리의 판단들뿐만이 아니다. 사실, 비트겐슈타인은 그 논

32 OC, §225, 105, 410.

33 OC, §232.

34 OC, §65, 115, 204, 212, 229, 256, 337, 354, 475, 519.

35 OC, §309, 318-321.

36 OC, §124.

리 형식이 경험적 내용을 갖도록 하는 언표들이 두 가지 다른 — 기술적이거나 규범적인 — 역할들을 수행할 수 있고, 주어진 언어 게임에서 이 언표들의 역할이 안정화된 사용을 통해 이것들에 주어진 기능에 단순히 의존하고 있음을 여러 차례 주장한다.[37] 결과적으로, 비트겐슈타인은 "논리학의 명제들뿐만 아니라 경험 명제의 형식을 갖는 명제들이 사유(및 언어)를 다루는 모든 작업의 토대의 일부분임"[38]을 강조하는 것이다. 논리적 언표들의 형식 자체가 이들을 이러한 규범적 기능에 한정하는 반면, 이런 저런 종합적 언표가 이 인식론적 역할에 부여되면, 이 형식은 항상 우연적인 사실, 따라서 역사적인 사실이다.[39] 따라서 우리는 이런 언표들의 인식론적 지위를 추상적으로, 즉 특수한 담론적 실천들에서 이들의 사용의 역사를 등한시하며 포착할 수 없는데, 왜냐하면 이들에겐 인식론적 지위가 이를 정확하게 하는 실천 바깥에는 존재하지 않기 때문이다. 바로 이 때문에, 가능한 검증 및 반증들과 관련한 규범들로 기능하는 언표들의 총체가 비트겐슈타인에게는 역사적으로 유연한 무엇이고, 이는 다음과 같은 인식론적 착상으로 귀결된다. "우리는 이렇게 상상할 수 있을 것이다. 경험 명제들의 형식을 가진 어떤 명제들이 응고되어, 응고되지 않은 유동적 경험 명제들을 위한 도관들처럼 기능한다고. 그리고 유동적 명제들이 응고되고 굳어진 명제들은 액화되는 동안 이 관계는 시간과 함께 변형될 것이라고."[40] 따라서

---

37 OC, §96, 98-9, 167.

38 OC, §401.

39 OC, §98-9.

40 OC, §96.

가능한 경험적 탐구의 장을 정의하는 데 쓰이는, 규범적이지만 종합적인 언표들의 역사적으로 동역학적인 입지에 대한 비트겐슈타인의 인식론적 착상에 직면하여[41], 우리는 푸코가 '역사적 아프리오리'라 부른 것을 설명하기 위해 이들을 사용하길 시도할 수 있다.

이를 위해 나는 《지식의 고고학》에서 과학사에 관한 한 구절을 살펴보고자 한다. 이 구절은 주어진 담론적 실천에서 언표의 정체성이 그 기능들에 상대적인 특별한 방식으로 구성되는 사례를 보여준다. "지구가 둥글다거나 종들이 진화한다는 단언은 코페르니쿠스 이전과 이후, 다윈 이전과 이후에 동일한 언표를 구성하지 않는다. 간단하게 말하자면, 낱말들의 의미가 변했다는 것도 아니다. 바뀐 것은 이 단언들의 다른 명제들에 대한 관계, 이들의 사용과 재발견의 조건들, 경험·가능한 검증들·우리가 지향할 수 있는 해결 과제들이다."[42] 우리가 생물학사의 예시에만 집중한다면, 푸코는 다윈 이전에는 '종들은 진화한다'가 경험적인 언표였음을, 그 진리 값이 적합한 사실들에 의거하여 정해져야 했던 참이나 거짓에 대한 후보였음을 단언하는 것이다. 그러나 다윈의 작업이 가져온 혁명적인 충격 때문에, 이 언표는 신생 진화 생물학의 담론적 실천에서 아주 다른 역할을 하게 되었는데, 여기선 이것이 어떤 유형의 문제들을 생물학적 종들에 관해 이론적으로 정식화하고 경험적으로 검토하는 것이 가능한지를 재정의하는 선험적인 인식론적 토대들 사이에서만 나타난다. 그리하여 비트겐슈타인이 자기

41 OC, §94-99, 167, 318-321.

42 AS, p. 136.

관점에서 적기를, "우리의 경험적 언표들이 동일한 지위를 갖지 않는다는 것은 명백하다. 왜냐하면 우리는 경험적 명제를 고정하고 분리하여, 이런 명제를 기술의 규범으로 만들 수 있기 때문이다."[43] 이어서 비트겐슈타인은 경험적 언표들을 평가할 가능성이 논리적이며 규범적이고 종합적인 언표들의 인식론적 토대를 항상 요구한다고 단언할 뿐만 아니라, 의심되고 검토될 수 있는 언표의 유형들이 주어진 언어 게임의 규범적 토대들의 특수한 구조에 경험적으로 의존한다는 것도 암시하고 있다. "우리가 제기하는 물음들과 우리의 의심들은, 어떤 명제들이 의심으로부터 제외되어 있으며 말하자면 그 물음과 의심들이 그 위에서 도는 경첩들이라는 점에 의거하고 있다."[44] 나는 비트겐슈타인의 이 언급이 푸코의 역사적 아프리오리 개념을, 특히 경험적 지식을 위해 특수하고 국부적인 가능성들을 정의하는 우연적 규범성의 원천이 있다는 생각을 심각하게 받아들이려 시도하는 모든 이들에게 결정적으로 중요하다고 생각한다. 비트겐슈타인의 논의는 담론적 실천들의 역사에서 일정 언표들이 기술적이고 규범적인 것 사이에서 행했던 변화하는 역할들에 의거하며, 최소한 그 객관화 양태에서 이러한 인식론적 규범성의 원천을 설명할 수 있다는 것을 우리에게 보여주는 것이다.

43 OC, §167.

44 OC, §341-43.

4장
비트겐슈타인과 푸코에서 비판의 주체

외르크 폴버스(Jörg Volbers)

'분석적'이라 불리는 철학과 이와 대칭하여 '[유럽] 대륙적'이라 불리는 철학 사이의 관습적 경계들을 횡단하자마자, 어떤 놀라운 일정한 평행 관계들을 가끔 발견하게 된다. 이렇게 우리는 비트겐슈타인과 푸코에게서 동일하지는 않을지라도 최소한 비교할 수 있는, 철학의 금욕주의적 개념화를 발견하는 것이다. 이 개념화에 따르면 철학은 개념적 갈등들을 해결하려 할 뿐만 아니라 철학하는 주체를 건드리기를, 즉 변형하기를 시도한다. 비트겐슈타인이 《철학적 소견들》에서 말하는 것처럼 "철학 작업은 — 여러 모로 볼 때 건축 작업과 마찬가지로 — 무엇보다 자기 자신에 대한 작업이다. 철학이란 자기만의 개념화에 힘을 기울이는 것이다. 우리가 사물들을 보는 방식(그리고 이들로부터 기다리는 것)으로 말이다." 이러한 기술은 또한 푸코에게도 충분히 해당할 수 있을 것이다. 《성의 역사2: 쾌락의 활용》(이하 《쾌락의 활용》)의 서문에서, 푸코는 자신이 성에 대한 연구들의 방법론적 접근법을 바꾼 이유뿐만 아니라, 그 자신이 또는 적어도 철학을 수행하는 데 있어서 그의 고유한 방식이 어떻게 '**영성 수련**'의 고대적 전통에 해당하는지도 설명한다. "'시험'은 — 이는 의사소통의 목적에 맞게 타인을 단순화시키는 것으로가 아니라 진실의 작용 속에서 자기 자신을 변형시키려는 시험으로 이해되어야 하는데 — 철학의 살아있는 몸이다. 적어도 철학이라는 것이 오늘날에도 여전히 같은 것이라면, 다시 말해 그것이 사고에서의 '고행', 자기의 수련이라면 말이다."

우리는 '어떤 철학자가 주체의 존재 자체를 건드리는 지혜의 살아있는 힘을 철학에 되돌려주길 바라지 않을 것인가?'라는 질문을 던지고자 한다. 그러나 철학이, 푸코가 이해한 대로, 오늘날에도 여전히 과거에 그랬던 것처럼 될 수 있는지 아는 문제가 여전히 남아있다. 푸코가 (다시) 그리스 사람이 되기를 원치 않음은 분명하다. 그는 한 인터뷰에서 이렇게 단언했다. "모든 고대성은 나에게 '심오한 오류'였던 것으로 보인다."[1] 이는 우리가 푸코를 유명하게 만들었던 주장들을 고려하면 전혀 놀라운 것이 아니다. 권력의 산물로 이해된 지식과 '영혼'의 역사성은 고대로부터 상당히 거리가 먼 주장들이다.

그런데 여기서 우리는 어떤 모순에 직면하는 것으로 보인다. 윤리적 주체(또한 철학의 주체이기도 한)는 권력의 계보학적 주체가 아닌데, 이때 이 권력은《쾌락의 활용》이 출간되기 전까지 푸코 사유

1 DE IV, p. 698.

의 핵심이었기 때문이다. 주체가 단지 권력의 산물일 뿐임을 원하는 계보학적 주장은, 그 행위가 명백히 자발적이며 숙고되고 자기 자신을 의식하는 윤리적 주체로 쉽게 나아가지 않는다. 우리는 계보학적 주체가 고대의 전통적 윤리와 조화를 이루기에는 보다 근대적, 너무 근대적이라는 인상을 받는다.

이 소론의 목적은 철학이 형이상학의 근대적 조건들에도 불구하고, 아니면 아마도 더 정확하게 말하자면 이 조건들 덕분에 어떤 방식으로 '자기 수련'이 될 수 있는지를 보다 잘 이해하는 것이다. 이 점에 관해서는 비트겐슈타인이 우리를 도울 수 있을 것이다. 시작하기에 앞서, 비트겐슈타인과 언어 분석철학 일반이 언어에만 관심을 둘 것이기에 윤리적 주체성의 문제들에 대해 아무 할 말이 없을 것이라고 여전히 회자되는 선입견을 버릴 필요가 있다. 스탠리 카벨은《논고》와《탐구》의 저자의 자세와, 말하자면, 철학적 에너지가 논리실증주의의 과학주의와는 아무런 관련이 없음을 잘 보여주었다. 비트겐슈타인이 그의 저작들에서 '커다란' 철학적 주제들을 거의 다루지 않았음이 사실이라면(그는《논고》의 마지막에서 이들 주제와 관련해서 침묵해야 한다고 선언하지 않았던가?), 순전히 형이상학적인, 심지어는 실존적인 이유들 때문에 이 한계들이 부과되는 것 또한 마찬가지로 사실이다. 비트겐슈타인의 사유는 언어의 의미 능력에 관한 항구적인 의심의 압력 아래 만들어진다. 그에게 낱말들은 거짓된 희망과 헛된 확실성을 주면서 우리를 함정으로 이끄는 경향이 있다. 언어적 혼동의 위협들에 대한 바로 이러한 경계 때문에 비트겐슈타인은 생애 내내 언어에 대한 평온한 조망,

명료한 통찰을 찾았다.

철학이 일종의 '자기 자신에 대한 작업'일 것이라는 생각, 푸코와 비트겐슈타인이 대체로 공유했던 이 생각에 이제 어떤 체계적인 지위를 부여할 수 있을 것인가? 제임스 코넌트나 존 맥도웰과 같은 일부 논평가들에게, 비트겐슈타인의 '자기 자신에 대한 작업'은 형이상학적 의도들을 벗어나길 노리는 것이었다. 이러한 해석에 따르면, 비트겐슈타인의 철학은 본질적으로 **치료적인** 것이다. 이 해석은 우리가 이를《논고》에 관련시킬 만큼 장점들을 가지고 있다. 그러나 이 해석의 주요한 문제점은 순전히 주지주의적인 접근법에 있다. 여기서 이러한 명제의 내재적인 문제들을 개진할 수는 없으나, 일반적인 생각은 이 주지주의가 철학적 탐구들의 **원인**을 고려하지 않는다는 것이다. 이러한 부정의 결과는 형이상학적 문제들을 근거도 실체도 없는 이데올로기로 나타나게 하는 것인데, 그럼에도 불구하고 우리의 근심은 이해될 수 없는 것으로 남는다.

이러한 관점에서, 개념적 해결책들이 환영이 아니라 다른 것들 중에서 어떤 **노력**의 산물들임을 잘 보여주는 푸코를 참조하는 것이 유용하다. 푸코는 **문제화**에 대해서 말하였는데, 이 용어는 그에게서 "참과 거짓의 게임에 무언가가 들어와서 이를 사유의 대상으로(도덕적 반성, 과학적 인식, 정치적 분석 등의 형태로건 간에) 구성하게"[2] 하는 실천들을 의미한다. 우리가 사유에 전념하는 여러 경로

2 DE IV, p. 670.

들에 대한 푸코의 이러한 탐구는 주의주의적인 해석에서는 이해할 수 없는 것으로 남는다. 왜냐하면 이 해석은 이런 저런 형태의 합리성을 세계에 접근하는 **유일한** 방식으로 선언하도록 강요받고, 완전한 치료법처럼 그것이 정당화할 수 없는 건강 규범을 사용하기 때문이다.

자기 수련에 대한 푸코만의 독특한 접근법은 '자기 자신에 대한 작업'이 정신노동에서 끝나지 않음을 보도록 이미 우리를 돕고 있다. 엄밀히 말해, 고대 수련들은 **단련**이고 육체적 참여를 요구한다. 사실 우리가 《논고》와 그의 전통적 주지주의 이상을 살펴본다면, 비트겐슈타인에게서도 작업하는 몸을 발견하게 된다. 바로 여기서 비트겐슈타인과 푸코의 사유 사이에서 철학의 개념화를 능가하는 대응이 존재한다. 이 둘에게 몸(몸짓, 육체적 활동)은 우리가 '의미의 작업'이라 부를 수 있는 것에서 현저한 역할을 수행한다. 푸코에게 몸이란 기율과 정상화의 대상이고, 비트겐슈타인은 몸을 지향적인 동시에 선先반사적인 품행의 구현으로 간주한다. 비트겐슈타인에겐 바로 **광범위하게 육체적인** 합의라는 토대 위에서 언어적 의사소통이 가능해진다. 우리의 주체성을 구성하는 **실천**은 물질적이고 육체적인 것이다.

몸은 두 철학자 사이의 또 다른 공통점으로 우리를 안내하는데, 바로 이 점이 우리 문제에 대단히 중요하다. '실천', '몸' 그리고 '기율'과 같은 개념들을 강조하는 것은 이성 — 혹은 우리가 우리 인식 능력이라 부를 수 있는 것 — 이 비트겐슈타인이나 푸코에겐 사회적 집단성 **너머에** 있지 않다는 핵심적인 생각에 속하는 것이다. 이것들은 사유가 내재성에, 공유된 **실천**에 닻을 내리도록 한다. 그런데 이들 사유의 이러한 일반적 방향 설정이 철학과 관련해서 문제를 제기한다. 우리의 판단과 행동의 규준들이 실천에 의해 구성된다고 말하는 것이 참일지라도, 이러한 단언은 그 자체로 마찬가지로 개별적인 판단이다. 우리는 이제 이 철학적 판단의 규준들이 어디서 오는지를 자문할 수 있다. 이는 반성성에 관한 오래된 문제인데, 만약 우리가 이성의 내재성을 심각하게 받아들인다면, 우리는 또한 (상기하건대, 몸과 실천적 물질성을 강조하는) 이 원리를 철학적 사유 그 자체에 적용해야 한다.

역설적이게도 이 반성은 그것만의 전제들에 의문을 던진다. 우리는 여기서 비트겐슈타인의 언어학적 의심을 다시 발견한다. 인식과 합리성의 형식들이 **실천**의 산물이라고 확신할지라도, 어떻게 저 판단 또한 새로운 권력의 간지, 즉 언어에 대한 또 다른 환상일 가능성을 배제할 수 있을 것인가? 저 경우에 푸코가 《앎의 의지》에서 정신분석에 관해 말한 것처럼, 우리가 "항상 함정에 빠지는 것을" 어떻게 막을 것인가?

비트겐슈타인이나 푸코에게 수행적 모순을 책망할 이유는 없다. 그러나 우리는 어떻게 이 역설적 입장을 이들의 사유가 단연 비판적인 작업이라는 사실과 연결시킬 수 있을 것인가? 푸코의 책들이 무엇보다도 현재성을 노리는 개입들을 어느 정도로 구성하는지 설명할 필요는 전혀 없다. 그리고 비트겐슈타인의 저작에서 비판적인 순간을 나타내기 위해서는 《탐구》의 언어학적 분석이 '기술적'이기만 한 것은 아님을 확인하는 것으로 충분하다. 이 분석은 많은 규범적 규준들을 사용한다. 예를 들면 비트겐슈타인은 "축제"하는 언어와 "작업"하는 언어를 구분하고, 낱말들의 일정 용례들, 특히 사적 언어의 게임들을 노골적으로 물리친다. 푸코의 경우와 마찬가지로, 비트겐슈타인의 이러한 판단은 문제를 제기한다. 우리는 실천에 **관한** 이 판단이 그것의 규준들을 어디서 획득하는지 묻게 되는 것이다.

특히 칸트 이후에 이 반성성의 문제에 의지하거나 그것을 출발점으로 삼는 철학들이 분명 여럿 있다. 예를 들면, 해석학은 긍정 안에서 모든 이해의 주요 운동을 발견함으로써 이를 향해 원을 돌길 애쓴다. 헤겔, 그는 경험의 부정성, 환상과 오류가 인식의 장애물이 아니라 오히려 이들의 주요 동력임을 암시한다. 이 문제에 대한 비트겐슈타인과 푸코의 해답, 즉 내가 여기서 그리게 될 해답은 문제의 관심을 우회하는 특수성을 가지고 있다. 철학적 판단들을 위한 안정적이고 확실한 규준들을 찾는 어려움은 왜 그것들을 찾고, 만일 그것들을 찾았을 경우에 **진정으로** 말하고자 하는 것이 무엇인지 자문하도록 우리를 부추길 것이다. 아마도 니체에서 시작된 흐름에서(비트겐슈타인도 니체를 읽었다), 두 저자들은 철학적 비판의 문제가 단지 방법이나 인식의 문제가 아님을 이해하도록 돕는다. 그 문제는 이런 저런 구체적 상황에서 역사의 이런 시대에 이런 문제들을 제기하는 우리 자신에게 돌아와야 한다. 우리는 여기서 내재성의 철학의 주요한 동기, 사실 인간 공동체(선험적으로 대자연을 배제하지 않는 것)에 엉킨 '자기 자신'에 대한 탐구인 '맥락주의'를 다시 발견한다. 비판, 그 관건은 논변과 정당화에 의해서만 행해지는 것이 아니다. 비판은 우리 자신 안에서 근거를 가지고 있다. 그렇기 때문에 내재성에 대한 비판적 철학은 체계적인 이유들에 따른 자기의 실천이어야 하는 것이다.

이 텍스트에서는 두 개의 명제를 옹호하고자 한다. 첫 번째는 비판 문제로 돌아가는 것이 주체를 모든 사회적이고 물질적인 결정에서 격리시키는 주체론으로의 복귀를 함축하지 않는다는 것이다. 이는 오히려 그 반대로 주체성을 주체가 자기 자신에 대해 가지는 관계인 동시에, 주체의 실천에 대한 관계로서 다시 기초짓는 것이다. 두 번째 명제는 이러한 개념화가 '반형이상적'인 논변들의 결과이고, 내재성의 철학을 찾는 데서 유래한다는 것이다.

논변을 위해 이 글은 때때로 푸코와의 평행성을 통해 비트겐슈타인에 집중할 것이다. 그 절차는 다음과 같다. 1절에서는《논고》를 살펴볼 것이다. 표상의 표상에 관한 사색은 '**영성 수련**'으로서의 철학이라는 비트겐슈타인적 개념의 기원이다. 2절에서는《탐구》의 비트겐슈타인이《논고》의 주지주의에서 어떻게 해방되는지를 보일 것이다. 우리가 언어에 대해 가지는 관계의 문제는 실천에 대해 가지는 관계의 문제가 될 것이다. 3절은 푸코의 '자기 수련'에 관한 이 전이의 결과들을 살펴볼 것이다. 여기서는 비트겐슈타인에게 있어 언어 게임에의 참여란, 우리가 '정상적으로' 행하는 것을 구성하는 실천적 의미의 산출에 의거한다는 점이 암시된다. 바로 이러한 확실성의 붕괴가 푸코와 비트겐슈타인이 맡았던 철학적 근심을 상기시킨다. 4절에서는 근심에 대한 이러한 철학적 기술을 푸코의 문제화 개념과 비교한다.

1.

비트겐슈타인이 말한 '자기 자신에 대한 작업'의 체계적 기능을 이해하기 위해선 바로《논고》를 참고해야 한다. 그는 이 짧은 책에서 언어가 세계와 맺고 있는 관계의 문제를 다룬다. 이는 논리실증주의자들이 추구한 것과 같은 고전적 질문들이다. 한 낱말은 대상을 어떻게 가리킬 수 있는가?, 우리가 대상들과 관계하는 논리는 어디서 오는가?

이러한 명료화 과정이 갖는 어려움은 그것이 언어 **안에서**만 작동할 수 있다는 것이다. 언어 없이 세계에 접근하는 것이 가능하지 않는 한, 관계의 한 부분은 항시 접근할 수 없는 것으로 남는다. 세계에 도달하기 위해선 우리가 감각적으로 말할 수 있는 것의 한계들을 침범해야 할 것이다. 세계의 전체성에 대한 모든 **명제**는 의미가 없다. 하나의 명제가 의미를 갖기 위해선 최소한 참이거나 거짓이 될 가능성을 가져야 한다는 단순한 이유에서 그러하다. 이러한 가능성은 세계에 관해선 존재하지 않는데, 왜냐하면 우리는 세계가 존재하지 않는다고 상상할 수 없기 때문이다(이는 속사가 아닌 낱말 '존재하다'의 문제이다).《논고》의 이론에 따르면, 세계를 전체로서 말하는 이는 필연적으로 비-의미를 언표하고 있는 중이다.

이러한 견해가 옳을지라도 그것은 두 가지 이유로 충분하지 못하다. 먼저 이 견해는 어디서 자신의 판단과 규준을 획득하는지를 설명하지 않고(반성성의 문제), 그 스스로 모순됨을 직접적으로 보여준다. 왜냐하면 그렇게 하는 것이 세계에 대한 우리의 관계의 완전한 전망을 우리에게 **주기** 때문이다. 그래서 비트겐슈타인은 언어의 한계들에 대한 그의 언어학적 성찰에도 불구하고, "한계지어진 전체"(《논고》, 6.45)로서의 세계의 전망이 그럼에도 가능하다는 사실을 강조한다. 그러나 그는 여기서 논리적 논변에 충실한 상태이다. 이러한 **보편적이고 영원한** 관점은 우리가 그것을 **보여줄** 수만 있다는 조건에서 가능하다. 이는 비트겐슈타인이 부른 것과 같이, 세계에 대한 **신비적** 조망, 확실히 언어 밖에 존재하는 하나의 관점이다. 《논고》에 따르면 우리는 세계 **안에** 있는 것에 관해서는 분명히 '말할' 수 있으나, 전체로서의 세계에 대해 우리가 맺는 관계와 관련된 사실들은 '보여주는' 것으로 환원된다.

바로 이 지점에서 비트겐슈타인은 '자기 자신에 대한 작업'으로서의 철학의 개념에 의거하도록 강제된다. '말하기'와 '보이기' 사이의 구별은 그 자체로 주체에 단지 **보여질** 수만 있는 구별이다. 언어 **안에서** 관계들을 살피는 고전적 방법론은, 《논고》가 밝히려고 노력하는 것과 같은, 언어와 세계 사이의 근본적 관계를 증명하기에는 너무 제한되어 있다. 여기서 우리는 오르고 난 후에는 차버리는 사다리의 유명한 은유(《논고》, 6.54)를 발견한다. 《논고》의 비트겐슈타인에게서 우리는 세계의 전체적 조망, "신비적" 조망을 얻을 수 있다. 그러나 이 조망은 우리가 사다리에 오르려는 용기를 가질 것을 요구한다. 《논고》의 논변들은 주체에게 길을 보여주기만 할 뿐이고, 거기로 가는 것은 그 자신이 할 일이다. 그것은 바로 독자의 능동적인 참여를 요구하는 것이다. 이 능동적인 참여가 없다면 논변들은 필연적으로 불완전한 것으로 남는다.

《주체의 해석학》에서 푸코가 사용한 어휘에 따르면 《논고》는 영성적 차원을 갖는다. 다시 말해, 그것은 진리로의 **접근의** 문제를 살피며, 이 접근을 주체의 영성적 변화에 조건 지운다. 따라서 비트겐슈타인은《논고》의 명제들을 매우 그림과 같은 방식으로 조직한다. 숫자들은 각 문장에 수직적 위치(1은 2 앞에, 2는 2.1 앞에 등등)와 수평적 위치(2.1은 3.1과 같은 수준으로 등등)를 부여한다. 이들은 이렇게 논변이 말할 수 없는 것을 **보여주기를** 시도하는 기능의 **이미지**를 주체에 주는 것이다.《논고》의 주요한 일곱 개의 문장[부문]들은 각각 나란히 위치해 있어, 말해질 수 있는 것의 전체 공간을 차지하며, 독자는 이 이미지가 보여주고자 하는 것을 이해해야 한다. 이런 의미에서 철학은 어떤 설명에 도달하지 않고, **명료화**를 노린다. 아니 그저 노리는 것만 할 뿐이다. "철학은 교의가 아니라 활동이다. 철학적 작업은 본질적으로 명료화에 있다. 철학의 결과는 '철학적 명제들'을 낳는 것이 아니라, 명제들이 밝혀지도록 하는 것이다. 철학은 명제들을 분명하게 하는 것을 목적으로 한다" (《논고》, 4.112).

이 문장이 비트겐슈타인이 결코 포기하지 않았던, 철학의 임무는 설명하는(이유들을 주는) 것이 아니라, 명료함을 낳는 것이라는 생각의 기원에 있다. 우리는 이 입장을 지지하는 방법론적 견해들이 어떤 것인지 보았다.《논고》의 '신비주의'와 사다리의 은유는 언어만으로 줄 수 없는 것을 획득하기 위한 대안적 경로들이다. 이것들은 어떤 의미에서 비트겐슈타인의 '기술주의'가 문장들의 실제적 내용의 목록을 만드는 데 그치지 않음을 이해하도록 한다. 사다리의 은유는 명료화 과정이 둘로 나뉨을 함축한다. 먼저 우리는 그것을 사용할 수 있기 전에 발 딛는 부분을 고정한다. 첫째로, 언어의 내용을 확실히, 즉 낱말들이 말할 수 있는 것을 명료히 해야 한다. 《논고》에서 이는 논리학의 근본적 관계들을 정식화해야 함을 의미하고, 《탐구》에서는 언어의 실제적 다양성을 검사하는 것으로 연결된다. 둘째로 언어에 대한 그리고 특수한 낱말들에 대한 우리의 **관계**를 명료화해야 한다. 이는 주체의 자기 자신에 대한 작업이다. 가능한 의미의 명료화 이후, 우리가 언어에 요구할 수 있고 요구하고 싶은 것을 재고해야 한다. 비트겐슈타인이 말한 것처럼, 자기 자신에 대한 작업은 우리가 사물들을 보는 방식과 우리가 이들로부터 기대하는 것에 대한 작업이다.

명료화 작업은 또 다른 중요한 점을 제기한다. 《논고》의 주요 목적인, 언어의 한계들을 정하는 것은 언어가 더 이상 우리를 도울 수 없는 공간을 결정하는 것을 의미하기도 한다. 바로 거기에서 철학하는 주체가 자신에 대해 기울이는 관심의 우회가 작동한다. 왜냐하면 새로운 철학적 문장들을 발언하는 것으로 그치는 철학은 자기 증명의 모든 하중을 언어에 싣기 때문이다. 그것은 낱말들이 의미할 수 있는 것을 의미하는 것 **이상을** 그것들이 할 수 있음을 전제하는 것이다. 이는 언어가 자기만의 표상 형식과 자기의 "논리적 형식"(《논고》, 4.12)을 표상할 것을 요구한다. 이러한 철학은 언어가 세계의 충실한 이미지인 **동시에** 언어를 그 자체로 의미 있게 만드는 투영 원리이기를 요구하는 것이다. 우리가 언어에 너무 많은 것을 요구한다는 것이 비트겐슈타인의 언어 비판의 주된 생각이다.

2.

스탠리 카벨은 언어와 '무제한 전체성'으로서의 세계 사이의 관계에 대한 성찰 속에서 **회의주의**의 문제를 당연히 발견한다. 카벨에 따르면, 비트겐슈타인의 두 번째 걸작인 《탐구》의 배경에는 회의주의가 있다. 여기서 《논고》의 표상 문제는 변형되었다. 세계의 선험적으로 올바른 이미지에 대한 추구는 '규칙 따르기'가 의미하는 것을 제대로 이해하는 것의 우위를 인정한다. 이제 문제는 어떤 규준들에 의해 우리가 (판단을 포함하는) 품행이 어떤 규칙에 대응함에 동의할 수 있는가를 아는 것이다. 여기서, 어떤 의심도 남기지 않는 규칙의 표상, 즉 규칙을 우리의 언어적 실천 바깥에 놓는 표상을 찾는 것은 형이상학적 유혹일 것이다.

회의주의자의 형상은 '인간적인, 너무나 인간적인' 어떤 요구를 표상하며, 비트겐슈타인이 영원한 투쟁으로 맞서는 형상이다. 회의주의자는 그 어떤 규준도 받아들일 준비가 되어 있지 않고, 우리가 규칙을 따르고 있음을 그에게 증명하기 위해 언어를 사용함에 따라, 그는 이 해명에 전제된 의미들을 언제나 공격할 수 있다(《탐구》 §87 참고). 회의주의자는 형이상학자처럼 **논의의 여지가 없을** 규준이나 판단의 근거를 찾지만 이를 발견할 수 없다. 그의 문제는 정확히 《논고》의 문제와 같다. 그는 자기 자신만의 의미 관계를 표상하는 표상-규칙을 사용하는 주체들 없이 기능하는 규칙의 표상을 찾는다. 결과적으로 형이상학적 토대를 발견할 수 없는 회의주의자의 무능력은 언어나 세계에 결함이 있다는 생각으로 표현되는데, 그에 따르면 우리는 어떤 낱말이 의미하는 것 혹은 우리가 의거하는 세계의 대상들이 존재하는지를 **알지** 못한다.

회의주의의 도전에 대한 응답으로 표상(혹은 규칙과 우리 판단 사이의 관계)을 다시 사유할 필요가 있다. 카벨에 따르면 이것이 바로 비트겐슈타인 접근법의 본질인데, 그는 세계와 우리 자신에 대해 우리가 맺는 관계가 어떤 표상의 형식을 가지고 있지 않다는 것을 보여준다. 이렇게 표상은 인지적 접근에서 제외된다. 세계에 대한 우리의 관계는 인식론적인 것이 아니고, 이론적이고 담론적인 지식의 가능한 대상이 아니다. 회의주의자 말이 맞다. 지식의 주장을 침식하는 것은 언제나 가능하다. 그러나 이것이 치명적인 괴리, 우리의 정당화 실천에 결함이 있음을 가리키는 것은 아니다. 그것은 정당화 자체가 여러 다른 실천들 중 하나로서 세계에 닻을 내림을 보여준다. 철학적 정당화는 삶의 형식을 구성하는 것이 아니라, 삶의 형식에 의해 구성되는 언어 게임이다. 세계의 이미지를 스스로 만드는 능력은 우리의 세계-내-존재에 종속되는 것이다.

그렇다면《논고》와《탐구》는 어떤 차이를 가지는가?《논고》에서 비트겐슈타인은 표상의 고전적 관념에 매여 있는 상태이다. 그는 표상의 관계 자체의 표상("논리적 형식",《논고》, 4.12)이 불가능함을 알고 있다. 그럼에도 그는 철학이 우리에게 세계를 "무제한적 전체성"으로 여전히 **보여줄** 수 있는 신비적 태도에서 해답을 발견한다. 따라서《논고》의 비트겐슈타인에게, 철학적 활동은 일종의 신비적 승천, 침묵할 뿐만 아니라 사회 현실에 무관한 개인적 상태인 이해의 한 유형이다.《탐구》의 비트겐슈타인은 보다 합리적이다. 그는 표상의 우선성을 포기하고 이를 **행위**의 우선성으로 대체한다. "언어 게임을 우리의 체험으로 설명하는 것이 아니라, 언어 게임을 확인하는 것이 중요하다."(《탐구》, §655) 결과적으로 표상에 대한 비판은 행위의 규범성에 적용된다. 규칙을 따르는 것은 정신적이든 논리적이든 간에 규칙의 표상이 만들어낸 결과가 아니다. 오히려 규칙은 언어 공동체에서 우리 행위들의 **산물**인데, 이는 규칙을 따르는 능력이 이 집단적 **실천**에 구성적으로 연결됨을 의미한다. 오로지 낱말과 대상에만 관련된 표상의 탐구는 우리가 낱말들과 대상들을 사용하길 배우는, 관계에서 다른 관계로의 연구로 대체된다.

3.

《탐구》의 진전된 틀에서 '자기 자신에 대한 작업'이란 무엇인가? 이는 비트겐슈타인의 철학 작업과 푸코의 자기의 실천 사이에서 가능한 관계로 우리를 다시 인도하는 문제이다. 합리성이 집단적 실천에 닻을 내리는 것에 관하여,《탐구》의 비트겐슈타인과 푸코의 사유 사이의 커다란 근접성은 이미 확인되었다. 앞서 살펴보았던 비트겐슈타인적 '자기 자신에 대한 작업'과 함께, 우리는 이제 푸코의 유명한 문제인 주체 비판의 연속성 혹은 불연속성의 질문을 보다 잘 정식화할 수 있다. 이에 대한 논의는 우리가 자기 훈련을 실천 속에 위치시킬 수 있도록 도울 것이다.

푸코의 이전 작업들에 비해《쾌락의 활용》서문은 아주 현저한 단절을 드러낸다. 여기서 새로운 형태의 주체성, '윤리적' 주체가 등장한다. 그것이 처음으로 나타나자마자, 우리는 그 주체가 《감시와 처벌》의 계보학적 주체와 어떤 관계를 가지는지 자문하게 된다. 권력에 의해 형성된 주체성 개념은 자기 실천의 창조적 잠재력에 많은 공간을 내어주지 않는다. 계보학적 주체는, 전통에 의해 설정된 자율성이 아니라, 개별 주체들이 자주 의식조차 하지 못하는 권력의 **지지점**이다. 우리는 이러한 분석들을, "성찰되고 자발적인 실천들"[3]을 의식적으로 사용하는 윤리적 주체, 주권적 개인이자 여러 유형의 주체성의 주인에 대한 참신한 개념화와 어느 정도로 조화시킬 수 있을 것인가?

아마도 두 가지 형태의 주체화 사이의 차이는 보이는 것처럼 그리 크지는 않을 것이다. 여기서 푸코에게 균열이 없는 하나의 사유를 부여하는 것은 어불성설이다. 그러나 푸코의 주조가 항상 주체와 진리 사이의 관계였음이 사실일지라도, 우리는 여기서 자기의 실천을 계보학적 주체의 보다 큰 이미지에서 대체할 하나의 지침을 발견한다. 자기 실천들의 주체가 "성찰되고 자발적인 실천들"을 사용할지라도, 그는 자율적 주체의 위치에 있진 않다. 이는 진리에 가정된 그의 관계 때문인데, 영적 주체는 (전통의 철학적 주체에 맞서) 있는 그대로 진리에 접근하지 않고 자기 자신을 변형시켜야 한다. 따라서 그 주체의 진리는 진리에 대한 그의 관계의 결과인데, 이는 푸코에게 환원될 수 없이 실천적인 관계이다.

1983년 버클리에서 푸코가 진행한 강연 《두려움 없는 언설》을

3 미셸 푸코, 《성의 역사2: 쾌락의 활용*L'usage des plaisirs*》(이하 UP), Gallimard, 1984, p. 16.

인용해보자. 강연에서 그는 주체가 자신의 진리에 대한 관계를 묻는 실천들의 예를 든다:

> 중요한 것은 진리나 몇몇 이성적 원리들에 대한 자기 자신의 **관계**이다. 세네카가 저녁마다 자기 검토를 하면서 자신에게 던졌던 질문이, "나는 내가 잘 알고 있지만, 가끔 발생하여 항시 따르거나 적용하지는 않는 이 행위 원칙들을 실행했는가?"였음을 상기하자. 또 다른 질문은 "내가 친숙하며, 동의하고, 대부분의 시간에 실천하는 원칙들을 나는 지킬 수 있는가?"였다. 세레누스의 질문 또한 바로 이것이었다. 그런데 에픽테토스가 내가 이제 막 이야기하고 있는 수련들에 대하여 제기한 질문은 "내가 받아들인 이성적 규칙들에 적합하게 그 자체를 내게 보여주는 어떤 종류의 표상에도 나는 반응할 수 있는가?"였다. 여기서 우리가 강조해야 하는 것은 다음과 같다. 이러한 수련들에서 자기의 진리가, 자기가 진리와 맺는 **관계** 이외에 아무것도 아니라면, 이 진리는 순전히 이론적인 것이 아니다. 자기의 진리는 한편으로는 세계, 인간의 삶, 필연성, 행복, 자유 등등에 관한 일반적 진술들에 깔린 일련의 이성적 원칙들과, 다른 한편으로는 행위를 위한 실천적 규칙들과 관계한다(165).

여기서 우리는 푸코가 말하는 윤리적 주체의 개념적 문제를 명확하게 볼 수 있다. 어휘는 주체가 진리들을 노동자가 자기 연장들을 사용하는 것과 동일한 방식으로 사용한다고 생각하게 한다. 규칙과 원칙이 있고, 주체는 자기 자신에 대한 그의 작업의 성공도를 재기 위해 혹은 자신의 품행들을 지도하기 위해 그것들을 사용한다. 푸코가 말하는 모든 실천들은 주어진 척도에 고유한 행위(혹은 정신적 표상)의 비유를 포함한다(푸코는 **적합성**, **충실성**, **적용성**이라는 개념을 사용한다). 이러한 관점에서, 우리는 위 주체가 계보학적 주체와 아무런 관련이 없고 푸코가 거의 고전적일 정도로 자율성을 전제한다는 비판을 확인할 수밖에 없다. 푸코가 말하는 진리는 영성적 진리이다. 그것은 흥미로운 주제이긴 하지만, 우리는 그것이 과학적 진리와 인식 일반의 문제와 갖는 관계를 보지 못한다.

비트겐슈타인의 관점에는 이러한 인상을 수정할 수 있다. 이 인상은 '규칙 따르기'가 의미하는 것의 잘못된 관념에 기초한다. 비트겐슈타인의 비판은 한 가지 점을 강조한다. 주체가 사용하는 원칙들과 규칙들은 주체, 혹은 《쾌락의 활용》에서 사용된 어휘를 선호한다면 그의 '존재'와 무관하게 존재하지 않는다. 따라서 푸코가 자신은 "어떤 진리 게임들을 통해 인간 존재가 […] 욕망의 인간으로 인정되는지"를 나타내고자 한다고 설명한다면, 그는 이 게임들과 무관하게 존재할 자율적이고 독립적인 주체를 전제할 필요가 없다. 달리 말하여, 푸코가 말하는 스토아학파가 원칙들과 진리들을 가정할지라도, 이 원칙들은 그들의 규범적인 힘을 여기에 관심을 두는 주체들에 **관계해서**만 발견한다는 것이다. 나는 푸코의 윤리적 주체를 계보학적 주체와 거리를 두어 위치시키는 대신에, 우리가 자기의 실천들을 **이성의 규범성을 산출하는 특권적 장소**로 이해할 것을 제안한다. 왜냐하면 한편으로는 실천에 완전히 속박된 주체성, 다른 한편으로는 실천들을 사용할 자율적 주체성 사이에서 양자택일에 따라 공유된 주체를 보는 것은 오류이기 때문이다. 이 양자택일이 잘못 착안됐음을 이해하는 것이 비트겐슈타인 후기 철학의 관건이다.

비트겐슈타인은 《탐구》에서 일찍이 '언어 게임'이라는 개념을 도입한다. 그가 말하는 선행 게임들(§§2, 8, 19 등등)은 엄격한 의미의 언어 — 낱말들, 구어 — 가 여기에 거의 나타나지 않는다는 공통점이 있다. 게다가 그는 언어 학습의 상당한 부분이 훈육의 형태를 띤다는 점을 강조한다(§5, 6). 그러나 이 게임들을 하는 것이 이러한 훈육의 결과일 뿐이라는 오해를 넘어서기 위해선, (푸코가 말하는 기율의 등가물일) 훈육을 올바른 논리적 위치에 돌려놓아야 한다. 물론 그것은 주체를 길들이는 역할을 하지만, 길들이는 동시에 개인 자신, 즉 그가 배우는 새로운 행위 방식에 대한 새로운 관계를 낳는다.

비트겐슈타인에서는 언어 게임이 낱말들에 의미를 준다는 것이 주목할 만하다. 그러나 의미들은 게임하는 주체들을 통해서만 존재한다. 선수들이 되기 위해선 개인들(즉, 처음엔 아동들)이 **변해야** 하고, 여기서 우리는 **좋은** 선수가 되기 위한 조건들을 말하는 것이 아니다. 이러한 변형의 첫 번째 측면은 그것이 본질적으로 **신체적** 변화라는 것이다. 언어 게임의 패러다임은 군터 게바우어가 암시하듯 축구 게임이다. 세계에 대한 우리의 관계가 인지적 본질의 것이 아니라는 카벨의 주장은 여기서 가장 올바른 표현을 발견한다. 우리가 이러한 게임에 참여할 수 있기 위해선 인지적 규칙들, 즉 예를 들면 책에 쓰일 규칙들을 배우는 것으로 충분하지 않다(사실

이러한 접근법들은 오히려 학습에 장애일 것이다). 그밖에 낱말들과 이들의 의미들을 **정의하는** 규칙들에 관하여 말한다면, 우리는 개인들이 이미 어느 정도의 해독 능력을 가진다고 전제할 수 없다. 우리는 해석에 그 어떤 여지도 주지 않는 학습, 대개는 신체적인 기술들을 사용하는 연습을 필요로 한다("명제를 이해하는 것은 언어를 이해하는 것이다. 언어를 이해하는 것은 기술을 자기화하는 것이다", 《탐구》, §199). 참가자들은 게임의 **요령**을 배워야 하고, 유능한 선수에 어울리는 즉각적이고 성찰되지 않은 반응들에 따라 훈련해야 한다. 게임에는 **흐름**이 있고 그들이 진정으로 **함께 게임할** 수 있기 위해선, 타인들의 반응에 직접적으로 반응하는 것을 배우고 그것들을 이해해야 한다. 참가자들은 서로 동의해서 반응하기를 배운다. 사실 그들은 규칙들이 필요 없다. "우리가 게임하고 '그럼에 따라 규칙들을 구성하는' 경우도 있지 않은가"(《탐구》, §83).

주체의 변형의 두 번째 측면은, 이것이 반응뿐만 아니라 사물들을 보는 방식까지도 낳는다는 것이다. 함께 게임하기 위해선, 이 모든 것이 아주 자연스러운 것처럼 어떤 의심도 없이 반응해야 한다. 훈련들은 명백함의 감각, 아비투스(피에르 부르디외는 분명 비트겐슈타인을 읽었다), 실천적 의미를 낳는다. 이러한 (명백히 문화에서 기원하는) 반응들의 자연화가 '규칙 따르기'가 의미하는 것의 중심에 있다. "나는 규칙의 한정된 개념을 가지고 있다. 나는 내가 각각의 특별한 경우에 무엇을 해야 하는지를 안다. 안다는 것은, 나는 의심하지 않는다, 즉 그것이 명백하다는 것이다. 나는 '자연스럽게' 말한다. 이유들을 댈 수 없다"(BGM VI-24, 저자 역). 비트겐슈타인이 말하는 이 정상성("나는 의심하지 않는다")은 **자기 자신에 대한 태도**를 함축하고, 바로 이 경로를 따라 우리는 **실천**에 대한 관계가 동시에 자기 자신에 대한 관계임을 성립시키는 것이다. 카벨의 생각처럼 바로 여기서 회의주의가 우리를 도울 수 있다. 회의주의자는 자신의 만족 불가능한 앎에의 의지와 함께, 획득된 정상성의 붕괴를 드러낸다. 회의주의자는 이런 저런 방식으로 반응하는 자발적 경향을 느끼게 될지라도, 자신의 고유한 반응들을 전혀 신뢰하지 않는다. 자기 자신에 대한 이 격차가 바로 회의주의자가 결코 만족하지 않는 이유이다. 회의주의자에게 내려진 해답이 의미 있는 답이 되기 위해선, 그가 이를 특별한 언어 게임에서의 운동으로 받아들여야 한다. 따라서 그는 자기 자신의 운동을 게임 속에서 받아들이도록 강제되는데, 이로부터 그는 이제 막 자신의 신뢰를 벗어난 상태이다. 회의주의자는 망설이며 자신이 해야 하는 것이 무엇인지 고민하기 시작한 선수와도 같다. 물론 자신의 고유한 가치를 갖는 이러한 반성은 게임의 흐름, 즉 자신의 연속성을 해체하고, 즉각적인 반응들의 이러한 중단은 선수를 게임 밖으로 추방한다. 형이상학적 회의주의자는 가능한 모든 게임 바깥에 자리를 잡는데, 왜냐하면 그곳에서 게임하기 — 규칙 따르기 — 가 의미하는 것의 토대를 찾기 때문이다. 그러나 어떤 확실성도 없이, 자기 것으로 받아들일 수 있는 어떤 자발적 반응도 없이, 그는 자기가 원하는 것 — 즉 여기선 개념의 규범성, 의미 — 을 포착할 수 없다. 행동하는 주체의 확실성은 언어 게임들의 토대가 아니라, 그 게임들의 가능성의 조건이다.

회의주의자는 그가 **정상적으로** 보이는 반응들과 판단 방식들의 **근거를 세우고자** 노력한다. 그는 비트겐슈타인이 말하는 언어에서의 합의의 주요한 특성을 우리에게 부정적인 방식으로 보여준다. 이 합의는 우리 자신에, 우리의 고유한 품행에 함축적인 관계를 가지지 않고서는 기능할 수 없다. 우리는 언어 사용에 합의하지만, 이 '**우리**'**가** 확실성의 개인적 주체들로서 타인들과 합의하여야 하는 것이다. 정상성의 개념이 비트겐슈타인에게선 해석의 개념을 대체하는데, 이것으로 우리는 행위의 규범성을 정상적으로 설명한다. 우리가 규칙을 따르는 것은 인식에 의해서가 아니라, 바로 이성적 토대가 없는 실천적 요령에 의해서이다. 위 판단에 동의하는 것이 우리에겐 정상이고, 회의주의자가 관심을 갖는 경우인, 판단이 틀릴 수 있음은 이러한 실천적 합의, 우리 실천들 안에서의 합의의 기능이다. 그것은 의견들의 합의(동의)가 아니라, 삶의 형식의 합의이다.

4.

'규칙 따르기'가 무엇을 의미하는지 아는 문제에 관한 비트겐슈타인의 고찰은 푸코의 연구와 이들의 윤리적 주체를 보다 잘 위치시키는 데 도움이 된다. 정말이지 주체의 행위들에 그 '본성적' 품행의 성격을 규정하는 명백함과 확실성을 (또) 주는 것이 아니라면, 자기 수련의 목적은 무엇이겠는가? 푸코가 말하는 실천들은 우리의 행위와 반응 방식을 바꾸는 것을 목표로 하는 평정과 익숙해지기의 실천들이다. 비트겐슈타인과 함께, 우리는 이 실천들이 독립적 주체를 함축하지 않는다는 점을 이해할 수 있다. 주체들이 자기 행위의 적합성을 판단하는 규준들은 주체화 과정에 의해 성립되고, 주체들과 이들의 **실천**이 맺는 고유한 관계들에 의해 구성된다. 이는 원칙적으로 열린 관계, 결코 끝나지 않는 주체화의 과정이다.

결과적으로, 푸코의 윤리적 주체는 계보학적 주체에 대한 포기를 함축하지 않는다. 그것은 오히려 **자기 자신의 주체화에 대한 주체의 기여**를 복원하게 하는 푸코의 "자기-비판"[4]의 한 형태이다. 《감시와 처벌》에서 말하는 계보학적 주체는 너무 수동적인데, 왜냐하면 개인이 눈을 뜨고 성찰하기 시작하자마자 주체화는 '항상 이미' 끝난 것으로 보이기 때문이다. 그 반대로 기율적 기술들 자체가 개인의 참여를 요구하는 방식을 고려할 필요가 있다. 예를 들면, 푸코가 《감시와 처벌》에서 말하는 학교에서의 개인화 분류는 개인이 이 규칙들에 순응하려는 욕망을 전제한다. 제재만으론 개인들의 순응을 설명하기에 충분치 않다. 이 욕망은 아주 다양한 기원들을 가지고 있고, 여러 방식으로 산출된다. 그러나 우리가 이 욕망을 **실천**(혹은 권력), 우리와는 별개일 **실천**의 외부적 산물로 특별히 간주한다면, 우리는 목욕물과 함께 아기를 버리는 것이 된다. 이는 최소한 비트겐슈타인이나 푸코에게 똑같이 철학의 기초가 되는 이 "윤리적 마음씀"(《쾌락의 활용》에서의 푸코의 표현)이 어디서 오는지를 우리가 이해하도록 하진 않는다.

4 DE IV, p. 170.

나는 푸코, 또는 푸코에 의해 영감을 받은 의견이 어떻게 비트겐슈타인의 안경을 쓰고 읽힐 수 있는지를 밝혀보았다. 이제는 논의를 마무리하기 위해, 그 역을 밝히고자 한다. 이와 관련해서는 푸코가 말년에 자주 말한 **문제화**라는 개념이 좋은 출발점으로 보인다. 앞서 우리는 비트겐슈타인에게 철학은 언어 게임들에 참여하기 위해 필요한 확실성이 붕괴된 결과라는 점을 살펴보았다. 비트겐슈타인은 이 근심의 원인도 기원도 설명하지 않는다. 그에게 이것은 논리적 관계로 남아있다. 확실성과 행위 습관은 규범적 **실천**의 필수조건이다. 결과적으로 확실성의 **상실**은 우리를 '규칙 따르기', '옳게 행하기' 등이 의미하는 것을 찾도록 인도한다.

문제화의 개념은 이 붕괴 과정을 보다 잘 포착하도록 한다. 푸코는《쾌락의 활용》에서 그의 연구 대상을 전개할 때, 이원적 도식을 사용한다. 그가 제시하는 모든 식이요법적, 경제적, 성애적 그리고 철학적 실천들 이전에, 그는 네 가지 "형태의 문제화"를 놓는다. 이는 문제들의 장과 관련된 것으로, 바로 이 문제들에 대한 **반응에서** 문제화의 실천들이 전개된다. 따라서 문제화는 우리가 그 본성을 알지 못하는 마음씀에 반응하는 방식을 발견하길 시도하는 실천이다. 그것은 행위의 특수한 장에 관계하여 방향을 상실한 것에 대한 반응이다. 이 실천들에서 우리는 이에 보다 잘 맞설 수 있기 위해 이 마음씀을 이해 가능한 것으로 만들고자 노력한다. 그는 다음과 같이 설명한다. "성적 엄격함의 요구 속에 숨거나 드러나는 기초적인 금지 사항들을 찾기보다는, 경험의 어떤 영역에서 어떤 형태로, 성적 태도가 **마음씀의 대상**, 반성을 위한 요소, 양식화의 질료가 **되며** 문제화되었는지를 찾아야 했다."[5]

푸코는 비트겐슈타인에겐 철학의 중심에 있는 이 혼란에 특별하고 역사적인 형태를 부여한다. 비트겐슈타인에게 철학은 길을 잃었고, 그는 **행위하기 위한 실천**에서 신뢰를 되찾고자 한다. "철학적 문제는 '나는 길을 찾을 수 없어'라는 형태이다"(《탐구》, §123). 이러한 탐구는 확실히 **복귀**는 아니다. 그것은 우리가 길을 잃은 삶의 형식의 근본적 변형이 될 수 있다. 그러나 비트겐슈타인은 철학적 근심에 특수한 형태를 주는 역사적 이유들에 관해 결코 말하지 않았다. 그래서 우리는 우리가 떠나왔던 **실천뿐**만이 아니라, 바로 **철학**이 문제라는 인상을 항상 갖는다.

그런데 회의주의에서 표현되는 이 근심은 **본질적으로** 철학적인 것이 아니다. 스탠리 카벨이 잘 보여주듯이 철학의 자양분인 이 걱정은 예술 작품들에서 표현되는 것만큼, 아니 심지어 더 많이 철학에서 표현된다. 철학은 특수한 형태의 문제화, 즉 진리의 문제화이다. 그것이 반응하는 근심은 비트겐슈타인 자신이 보여주는 것처럼 진리에 내재적인 관계를 가지고 있지 않는다. 비트겐슈타인은 철학이 **역사적** 실천, 우리가 계보학을 쓰고 조건들을 기술할 수 있는 실천이라고 생각하지 않는다. 비트겐슈타인이 철학의 목적은 "철학하기를 그치는 것"(《탐구》, §133)이라는 소원을 표현할 때, 그는 우리에게 그것에서 벗어나라고 강요하지 않는다. 이렇게 푸코와 함께 두 번째 해석이 가능해진다. 우리를 이러한 탐구로 떠미는

[5] UP, p. 30(인용자 강조).

근심을 다시 취하며, 철학을 변형해야 한다는 것이다. 이것이 바로 푸코가 시도했던 것이다.

2부는 푸코의 정치철학과 비트겐슈타인의 언어철학의 관계를 다루는데, 중층 해석의 과잉으로 가독성을 현저히 떨어뜨리면서까지 실질 내용이 반복·중첩되는 편이다. 이런 이유로 푸코와 비트겐슈타인에 직접 관련되는 부분만을 온전히 살린다는 전제하에 2부를 발췌 번역하였다 - 옮긴이 주.

PART 2

언어 게임과 권력 게임

5장
비트겐슈타인 이후: 푸코의 언어, 권력 그리고 전략

코르넬리우 빌바(Corneliu Bilba)

미셸 푸코와 루트비히 비트겐슈타인의 철학들만큼이나 이질적인 — 지적 기원, 두 철학에 생명을 불어넣는 정신, 방법 그리고 이 저자들의 철학적 야망의 관점에서 이질적인 — 두 철학 사이의 관계에 관하여 말하기 위해선, 만남의 장소, 즉 교차점을 발견하는 것이 적합하다. 우리는 표상에 대한 비판을 계획하는 것이 이에 관한 논의를 위치시키기에 최선의 부지라고 생각한다. 물론 우리의 분석은 전기 비트겐슈타인과 반대되는 후기 비트겐슈타인과 푸코의 사이를 가깝게 하는 방향으로 진행된다. 직접적인 비교의 충격을 완화하기 위해, 우리는 길잡이를 제안한다.

그들의 지적인 성장과정을 살펴보면, 비트겐슈타인과 푸코는 오래 전부터 대립해왔던 두 개의 거대한 철학적 전통(하나는 분석철학으로, 과학적이고 논리적인 방법과 연결되고, 다른 하나는 계보학적 철학으로, 역사적 방법과 연결된다) 중 하나에 각각 속한다. 특히 비트겐슈타인의 전기 분석철학은 프레게와 퍼스 이래 기호를 인식론의 관점에서 고려하는 표상주의 기호학에 연결되는 반면, 푸코의 계보학은 기호의 정의를 소쉬르의 언어학에 빚지고 있다. 푸코와 비트겐슈타인은 그들 각각의 사유 전통에 대해 거리를 두었는데, 어떤 만남이 《탐구》와 《담론의 질서》에 의해 열린 지형 위에 일어날 수 있지 않았는가라는 질문이 제기된다. 이 질문에 답하기 위해선 1)비트겐슈타인의 변화를 소쉬르의 언어 이론에 대한 양보로 보는 것이 가능하다는 것 2)푸코의 고고학은 언어 철학에 의해 열린, 소쉬르적 형태의 행보로 보일 수 있다는 것 3)푸코가 고고학을 포기한 것은 언어와 **삶의 형식**(실천) 사이의 관계에 관한 고유한 반성의 전개에 상응한다는 것을 염두에 두어야 한다.

1. 비트겐슈타인 그리고/또는 소쉬르

비트겐슈타인은《탐구》에서, 일상 언어는 프레게 논리학의 '개념표기법'에서 유래하는 일정 수의 통사론적이고 의미론적인 요구들을 고려하여 개혁되어야 한다는(러셀, 전기 비트겐슈타인 그리고 빈 학파에게 중요한) 생각에 이의를 제기했다. 비트겐슈타인에 따르면, 자연어는 언어의 '정상적' 형태이고, 결과적으로 그것은 규제되거나 개선되어서는 안 된다.[1]《탐구》의 142절에서는 규칙과 예외의 관계가 다르고, 이 둘이 상대적으로 동등한 빈도수를 가진다

1 RP, §130, 132, 494.

면, "우리의 정상적 언어 게임은 의미가 없을 것이다"라고 말한다. 이러한 정상성 개념으로부터, 우리는 비트겐슈타인의 입장을, 언어는 '사물들'의 목록이나 (예외적) 표제어의 총체가 아니라 자율적 의사소통의 체계라는 소쉬르 언어학을 향한 진정한 열림으로 간주할 수 있다. 소쉬르에게 자연어의 '정상성'은 그것의 자율성과 동의어다. 소쉬르와 비트겐슈타인 사이의 근접 가설을 지지하기 위한 적절한 논변은 그들의 언어관을 설명하기 위한 두 저자의 동일한 유비 – 게임 – 에의 의거일 것이다. 31절에서 비트겐슈타인은 언어와 체스 게임 사이의 유비, 그가《탐구》를 완주하며 여러 번 들었던 유비를 강조한다. 그는 "체스 말馬의 형태는 여기서 낱말의 소리나 형태에 대응한다"고 분명히 말한다. 게임 규칙이라는 관념에서 파생된 정상성의 관념(54절)을 강조하는 것이 중요하다. 우리는 누군가의 언어를 이해하지 못할지라도, 언어의 결함을 교정하는 것을 목표로 하는 행위를 인식할 수는 있다. 규칙들을 분명히 정식화함에 도달하지 못할지라도, 우리는 게임을 주시하며 규칙을 따르는 것과 따르지 않는 것을 파악할 수 있다. 정상적인 경우와 비정상적인 경우에 대한 이러한 인식은(141절) 기호로서의 기호, 게임의 일부로서의 게임 일부와, 허용되거나(정상적) 금지된 동작으로서 **동작**을 인지하는 문제를 제기한다. 기호의 정체성은 그것이 게임 안에서 그리고 게임을 위해 갖는 **가치**일 뿐이다. 우리는 이러한 생각을 두 가지 방식으로 이해할 수 있다. 언어의 개념을 일군의 계산으로(게임에서 말馬의 역할을 갖는 의미, 563절) 또는 일군의 게임으로 간주하거나(도구로서의 언어, 569절/사용법으로서의 의미, 43절)이다.

소쉬르에게, 게임의 유비는 언어적 **가치**의 개념을 설명하는 것을 가능케 한다. 기호는 수직적으로(기표와 기의 사이에) 그리고 수평적으로(다른 기의들 사이와 다른 기표들 사이에서) 대립을 통해 구성되어 있으므로, 그 **가치**는 수평적 대립을 통해 주어진다. "모든 항의 가치는 그것을 둘러싸는 것에 의해 결정된다."[2] 이러한 의미에서, 개별 요소보다는 체계가 우선시된다. 기호는 있는 그대로 언어의 전체성과 관계해서만 존재한다. 소쉬르에 따르면, '언어의 기제'는 비-표상적인데, 왜냐하면 그것은 체스 게임과 같이 단순한 **관계 게임**이기 때문이다. 한편으로는 **말**馬**들의 가치**가 있고, 다른 한편으로 **게임의 규칙들**이 있다. 실제로, 각각의 말馬의 가치는 규칙들에 의해 결정된다. 즉 말馬(병졸, 탑, 기사 등)의 정체성은 출발지, 허용된 움직임 등에 관한 대립들의 체계에 의해 정의된다. 이 말馬이 게임 중에 **개념적 가치**에 항상 동일화되기 위해선, **실질적 가치**를 구성하는 실질적 대립들의 체계가 필요하다.

일단 우리가 소쉬르와 비트겐슈타인에서 이러한 유비의 존재를 알렸다면, 보다 심화된 분석으로 어떻게 나아갈지를 알지 못하는데, 왜냐하면 소쉬르는 언어가 '하나의 대수학'임을 증명하기 위해 언어와 체스 게임과의 비교를 사용한 반면, 비트겐슈타인은 언어-계산의 너무 엄격한 틀의 극복에 관심을 가질 것이기 때문이다. 이처럼 그가 사용으로서의 의미(43절) 혹은 도구로서의 언어

2 페르디낭 드 소쉬르, 《일반언어학 강의*Cours de linguistique générale*》(이하CL), Payot, 1955, p. 160.

(569절)에 관해 말할 때, 비트겐슈타인은 랑그langue(즉 가치 '체계')가 아니라 오히려 소쉬르가 파롤parole이라 불렀던 것으로 이해할 것이다. 따라서 이 비유는 적절하지 못한 것으로 보인다. 그러나 **가치**와 **의미** 사이에 대한 소쉬르의 구별을 지지점으로 삼아 분석을 계속하는 것은 가능하다. 이 구별은 소쉬르의 후계자들 사이에서 수많은 논쟁을 야기했다. 이 문제에 관한 온갖 이론적 입장들은《일반언어학 강의》에 대한 툴리오 데 마우로Mauro 비평집에 목록화되어 있다. 프리에토Prieto에 따르면, 기호의 가치는 "랑그 안에 있는 의미들의 추상적 집합"(혹은 기의)일 것인 반면, **의미**는 "의미소 행위에 의해 설정된 개별적 사회관계"[3]일 것이다. 고델Godel은 '기의'와 '기표'를 섞은 뒤, 의미를 언표(즉, 담론)의 한 속성으로 본 발리Bally의 해석을 받아들였다. 그는 또한 의미를 "기의와 순간의 실재 사이의 일치"(혹은 이 일치의 결과)로서 이해했던 부르거Burger의 주장을 통합했다. 소쉬르 언어학의 고전적 전문가들은 의미가 파롤의 수준에서 하나의 기호의 기의의 실현이라는 사실에 합의한다. 따라서 툴리오 데 마우로는 가치와 의미 사이에 대한 소쉬르의 구별은 **의미**와 **지시**에 관한 프레게의 요구에 답할 것임을 시사한다. 그런데 이러한 지적만으로 열광하는 것은 아마도 약간 너무 지나칠 것이다. 우리는 툴리오 데 마우로의 제안을 우리가 유비에 의해 소쉬르에게 있어서 기의와 기표 사이 구별이 프레게에서 **의미**와 **지시** 사이 구별과 동일한 **교육적 가치**를 가짐을 이해

---

[3] CL, n. 231, pp. 464-465.

할 때에야 비로소 받아들일 수 있다. 그러나 언어학적 '의미'는 논리학적 '의미'와 같은 것이 아니다. 이 후자는 프레게, 전기 비트겐슈타인 그리고 러셀의 표상주의 사유에 너무 심하게 연결되어 있다. 우리가 의미를 (프레게와 러셀처럼 수학적으로, 혹은 노이라트와 후기 카르나프처럼 물리학적으로) 실재 대상으로 이해하건, (전기 비트겐슈타인과 전기 카르나프처럼) 지향적 혹은 현상적 대상으로 이해하건, 언어학적 **의미**는 '사회적 관계'이므로 논리적 유형의 한 관계로 환원되지 않는다. 그것이 표상이라 해도, 기껏해야 **사회적 표상**일 뿐이고, 상식의 인식론 영역에 속하는 것이다.

이런 의미에서 우리에겐, 소쉬르에게 있어서 의미의 문제를, 《탐구》에서 전개된 비트겐슈타인의 언어관의 관점에서 살펴보는 것이 보다 합리적인 것으로 보인다. 이처럼 가치(체계 안에서 기호의 정체성을 보장하는 것)와 의미(이 정체성을 갖가지 실재에 적용하는 것) 사이의 소쉬르의 구별은, 의미를 사용으로서 정의하는《탐구》의 43절을 통해 이해될 수 있을 것이다. 이를 위해 기호의 가치의 변형(기표와 기의 사이의 관계 변화)에 관해《일반언어학 강의》에서 말하고 있는 것을 고려해야 한다. 기호 불변성의 법칙에 따르면, 랑그는 사회적 제도이고 기호는 자의적이므로, 과거와의 연대는 선택의 자유의 취소 원리이다. 우리는 '사람'과 '개'를 말하고 이해하는데, 이는 우리가 '사람'과 '개'를 항상 말해왔고 이해했기 때문이다. 그러나 이와 동시에 파롤은 소쉬르에 의해 "의지와 지성의 개인적 행위"로, 그 주된 특성이 조합들의 자유인 것으로 정의된다. 불변성의 법칙은 파롤 안에서의 의미(기호)의 변이가 오로지 언어적 가치에 의해 규정된 한계들 사이에서만 생길 수 있음을 전제한다. 기호의 동일성 개념을 설명하면서 소쉬르는 다음과 같은 예를 들었다. "어떤 강연에서 우리가 '여러분!'이라는 단어가 여러 번 반복되는 걸 들을 때, 우리는 이것이 매번 동일한 표현이기는 하지만 어조와 억양의 변화가 다양한 구절들에서 아주 현저한 음성적 차이와 함께 이를 제시한다는 느낌을 받는다. 또한 이러한 동일성의 감정은 의미론적 관점에서도 한 '여러분!'에서 다른 '여러분!'으로 이어지는 절대적 동일성이 없어도 지속된다."[4] 결과적으로, 랑그 안에서의 기호의 동일성(기표와의 관계 속에서의 기의)은 불변인 반면, 의미는 파롤 안에서 기호의 연속적인 출현들과 관련하여 달라질 수 있다. 바로 이 원리가 랑그의 연속성을 보장하는데, 단 한 번도 발음되지 않은 '여러분!'들의 모든 의미들은 유일하고 동일한 기의의 실현이었다.

이와 동시에 파롤에 있어서 **기호의 사용**은 기의와 기표 사이의 관계 이전을 가져온다. 말하는 대중의 사회적 힘은 발음 그리고/또는 의미의 변화에 의해 그 물질적 그리고/또는 개념적 가치를 바꾸며 기호의 동일성에 작용한다. 이것이 기호의 변화성의 법칙이다. 비트겐슈타인처럼 말하자면, 우리는 소쉬르에게 있어서 한 기호의 (가능한) 의미들의 (추상적) 집합은 사용(이전 사용을 포함해서: 우리는 언어 게임에서 '사람'과 '개'를 항상 말해왔기 때문에 '사람'과 '개'를 말하는 것이다)의 결과이다. 소쉬르적 비트겐슈타인에서, 의

4 CL, p. 151.

미론적 사용의 규칙은 과거 사용들에 의해, 한편으로는 기의와 그것의 연합 관계들로, 다른 한편으로는 연결사적 제한들로 성립된다. 이러한 고려에 따라, 우리는 "《탐구》에서 규정한 언어의 성격은 소쉬르가 개별적인 경우들에서 일상 언어의 사용인 파롤을 기초하는 규칙들의 추상적 체계로서 랑그를 개념화한 것과 일치한다"는 것을 받아들일 수 있다. 결과적으로, 언어는 하나의 실천이라는 비트겐슈타인의 가르침을 받아들이고 언어와 게임 사이의 이러한 유비를 통합하는, 소쉬르적 의미론이 있을 수 있는 것이다.

2. 푸코: 구조와 언어 게임 사이에서

우리 이야기의 두 번째 요점은 푸코의 담론적 실천의 개념이 언어 게임들의 인정 기준들에 부합하며 소쉬르의 틀 안에서 기능함을 보여주는 데 있다. 이를 위해, 우선 **담론**의 범주를 명확하게 하고, 그 다음엔 **언표**의 푸코적 개념을 분석해야 한다. '담론'의 기호학적 개념은 푸코가 발명한 것이 아니다. 언어학자들은 의미의 문제에 대체하기 위해 소쉬르의 몇몇 주장들을 수정하면서 '이차 언어학'이라 불리는 **담론의 이론들**을 완성해야 했다. 예를 들면, 에밀 방브니스트는 담론을 **기호학적** 차원과 구분되는, 언어의 **의미론적** 차원으로 정의했다. 롤랑 바르트는 담론은 '이차적 기호학적 체계', 문장의 조직과 비교할 만하지만 고유한 조직을 갖는 '또 다른 언어'라고 말하고 있다. 레비스트로스로 말하자면, 그는 담론(신화)은 랑그의 영역에서 정식화되었으나 파롤에서 분석 가능한 매개적 기호학적 차원이라고 가정했다. 따라서 '담론'의 개념은, 언어학의 범주들에 의해, 신화, 문학, 의례 그리고 문명의 대상들로서 — '이것들이 말해진다는 조건에서' — 제시되는 거대한 기호 연쇄들을 정의하려는 시도에서 유래하는 것이다. 푸코의 인간과학의 고고학은 우리에게는 학술적 담론을 이 계열에 덧붙이려는 시도로 보인다. 그가 말한 것들이 이런 저런 의미로 향하기에, 푸코가 이러한 기획을 수용했다고 말하기는 어렵다. 그러나 고고학은 이러한 임무에 고고학적으로 부응한다.[5] 레비스트로스가 신화적 담론을, 롤랑 바르트가 문학적 담론을 다뤘던 방식으로, 과학사가로서 푸코는 과학적 담론을 다룰 것을 자임하는 것이다.

'이차 기호학'이 응답해야 하는 화급한 문제는, 이 대연쇄의 기호의 차원에서 우리가 여전히, 일차적 수준의 언어학에 대해 소쉬르가 정의한, 기호의 변동성과 불변동성의 법칙에 관해 말할 수 있는가를 아는 것이다. 순수 구조주의자들에게 있어서, 이는 구조들(예를 들면, 신화학들)의 변형 법칙들을 찾는 것으로 귀결된다. 푸코에게 이는 학술적 담론들로부터 **에피스테메**의 변화를 탐지하는 것을 말한다. 불연속성의 고고학적 범주는 우리 관점에서 — 자율적 담론 이론에서 — 기호의 변동성과 불변동성에 대한 소쉬르적 원리들을 적용하는 것일 것이다.

반론에 (미리) 대답하자면, 우리는 푸코의 불연속성 개념이 바슐라르와 캉길렘의 과학사를 유일한 원천으로 갖지 않음을 밝혀

5 DE IV, p. 583.

둔다. 고고학과 과학사 간의 관계는 불연속에 관한 푸코의 모든 텍스트들에 대한 해석의 규범을 구성하기엔 거리가 멀다. 지금까지 행해진 **에피스테메**에 대한 분석들이 불연속 개념과 (**담론**으로 간주되는) 과학의 언어적 성격 사이의 연결을 세우지 않았음은 제법 놀라운 일이다. 캉길렘에게 불연속성의 가정은 고전적 표상주의 사유의 어휘에서 정식화된 인식론적 요구들에 답하는 것이었다. 캉길렘이 말하길, 과학에는 '사물, 낱말 그리고 개념이 있다.' 우리 생각에, 이러한 과학관은 인간과학의 고고학에서 고고학적인 것과 양립할 수 없다.

언어학적 '패러다임'의 변환을 생각한다면, 우리는 이것이 그 인식에 동시대적이지 않은 관계들의 장의 변형이라는 것을 깨닫게 된다. 이는 문서고의 수준에서만 탐지 가능하다. 생명에서 이런 변화는 장기 지속에서 생겨났고 느린 '진화'였을 수 있으나, 문서고의 수준에선 '변환'과 불연속으로 포착된다. 소쉬르는 기호의 변환을 이야기할 때, 은밀한 거대함의 변형은 긴 진화로서 이해될 수 없음을 알고 있었다! 자의성이라는 관념 자체가 은밀한 가치들의 사용을 전제하고 연속적 거대함을 배제하는 만큼, **가치**나 **규범**의 수정은 변환으로서만 제시될 수 있다. 이 변환은 항시 이미 지나간 것이다. 그리고 이를 인식하는 것은 항시 회고적, 구조적 그리고 고고학적 성격을 가진다.

비록 푸코의 고고학이 우리가 1960년대에 믿었던 것처럼 그토록 혁명적이지는 않았더라도, 어쨌든 그것은 영웅적이었다. 그것은 소쉬르 기호학의 가장 큰 어려움에 맞서야, 즉 과학적 담론의 분석을 해야 했다. 그렇기 때문에 푸코의 실패는 사실상 모든 구조주의의 실패이다. 이 결과가 푸코로 하여금 구조적 방법의 반증자로서 이 최후 조류로부터 떨어져 나가는 것을 가능하게 했던 것이다. 다른 기호학에 의해 증명된 것처럼, **세계의 과학적 개념화**는 원칙적으로 대상의 '구조적 형식들'을 기술하기 위해 표상적 언어의 사용을 요구한다. 소쉬르의 자연 언어에 비하여, 과학의 담론은 '잘 형식화된 랑그'로서 제시된다. 전기 비트겐슈타인에 따르면, 이는 사실들을 기술하는 언어이자, 그 언표들이 일의적인 의미를 갖는 '대상들'을 명명하기에 참이나 거짓으로 쉽게 식별될 수 있는 언어이다. 의미론적 관점에선, 이는 명명법을 가리킬 것이다. 소쉬르주의자가 '잘 형식화된 언어들'의 논리주의적 요구를 수용할 준비가 되어 있지 않다면, 그는 적어도 과학의 담론들이 거의 잘 형식화된 기호들의 체계들임을 수용해야 한다. 이 기호의 체계들에서, 기표들은 (논리적 경험주의의 의미에서) 대상의 구조들을 기술하는 복합적이고 엄격한 연사連辭들일 것이다. 결과적으로, 기호와 표상 사이의 관계 문제가 일상 언어에서는 보다 더 민감하게 제기될 것이다. 표상주의 기호학이 이미 — 그리고 당연하게도 — 자연 과학에서의 기호 사용의 분석을 빼앗았던 까닭에, 이러한 측면은 기호의 정의와 소쉬르적 기호학의 보편적인 소명을 문제시 할 것이다. 소쉬르적 기호학에서 나오는 담론 이론들은 과학적 담론의 문제를 공격하기에 적절하지 않았는데, 왜냐하면 그것들에는 인식의 인식론적이고 비판적인 차원이 결여됐기 때문이다. 바로 이러한 어려움을 의식한 이후에 푸코는 언어학, 논리학 그리고 '일상 언어' 이론과 관련하여 문서고의 일반 이론[6]과 담론 개념의 정의를 표명할 필요성을 강하게 느낀 것으로 보인다.

푸코에서 '담론'의 개념은 언어를 그 경험적 '존재'의 수준에서 정의하려는 기획에 응답하는 것으로, 그것은 사건이자 산출이며, 자발성과 자율이다. 담론이 '자율적'이라는 것은, (심리적이거나 초월적인) 주체성의 범주와 관련하여 그러하고, '사건'이라는 것은, 랑그와 구조에 관련하여 실천적인 산출로서 그러하다. 담론이 산출하는 것은 대상들, (**주체들의**) 발화 양태들, 개념들 그리고 이론적 전략들이다. 1)"**담론들은 자신이 말하는 대상들을 체계적으로 형성하는 실천들이며**", "각각의 담론은 그 대상을 구성하고 이를 완전히 변형시킬 때까지 작업을 수행한다."[7] 2)"담론 […] 그것은 주체의 분산과 담론 스스로의 불연속성이 그 안에서 규정될 수 있는 집합이다."[8] 3)"개념 형성의 규칙들은 […] 개인들의 '정신 상태'나 의식이 아니라 담론 그 자체에서 생기며", "이를 관념성의 지평에도, 관념들의 경험적 행로에도 관계시키지 말아야 한다."[9] 4)"이상적인 담론은 존재하지 않는다. […] 이론적 선택들의 형성을 근본적인 기획에도, 의견들의 부차적인 놀이에도 관계시킬 필요가 없다."[10]

결과적으로, 고고학이 받아들이지 않는 것은 1)"단순자"(대상

6 AS, p. 38.
7 AS, p. 46(인용자 강조).
8 AS, p. 74.
9 AS, p. 83-84.
10 AS, p. 93.

들)가 있고 낱말들이 그것들의 "이름"이라는 것, 2)대상들을 호칭하는 행위를 통해 "겨누는" 의도가 있다는 것, 3)개념들이 비시간적 본질들이라는 것, 4)과학은 "세계의 논리적 구성"이라는 것이다. 이 모든 반박과 재고들의 핵심에는 **언표라는 개념**이 있다. 두 번째 기호학적 체계의 최소 단위로서, 언표는 '담론의 원자'이다. 바로 이러한 정의가 고고학이 분석철학과 관계하여 정의되도록 하는 것이다. 러셀과 전기 비트겐슈타인의 '원자 명제들'은 카르나프와 노이라트의 '프로토콜 언표'와 같이, 잘 형식화된 언어와 세계의 구조(대상, 사태) 사이의 근본적인 상관관계를 세우는 그러한 '담론의 원자들'이다. 예를 들면, 러셀에게 복합 문장의 지시는 자기 차례에서 명목적 연사들의 지시에 의존하는 그 구성 요소들의 지시에 의존한다. 그 결과로, 논리적 명제는 랑그의 본질을 사용할 뿐만 아니라, 용어 정화의 원리가 되게끔 이를 전유함으로써 이 본질과 동일화된다. 논리적 경험주의에서, 언어의 기능은 용어 목록, 즉 언어의 헤테로토피아hétérotopie들을 산출하는 목록(형이상학, 문학…)에 의해 정당화된다. 언어의 기능을 설명하는 이러한 방식은, 그것이 논리주의 언어이건(수학적 대상들의 기술), 현상학적 랑그이건(체험의 분석) 또는 물리주의 보편 은어(프로토콜)이건 간에 모두 '관념적 담론'을 가리킨다. 개념적 고행은 언어의 '정상화' 작용인데, 푸코는 이를 오래전부터 비판해왔다. 이 소쉬르주의자에겐 논리적 원자론이 **의미의 입자 이론**이다.

이 새로운 형이상학과 관계해서 푸코는 "[랑그가] 그러한 것인 것이기 때문에 **어느 쪽으로 우리가 그것을 상정하든** 우리는 단순한 것을 발견하지 못할 것"[11]이라고 말하는 "상대성" 이론의 관점에서 담론 원자에 관하여 생각한다. 푸코는 이 원리를 담론 이론으로 이전하며, 언표는 문장이나 파롤보다 훨씬 더 풍부한 사건이라 말하며 이 생각을 설명한다. 우리는 언표의 이 신비스런 풍부함이 무엇인지를 스스로 물을 권리가 있을 것이다. 푸코의 답은 언표의 부富는 그것이 **관계들의 게임**이라는 사실에서 온다는 것이다. 언표가 사유와 랑그로부터 분리되어야 한다면, 이는 **그것이 실체가 아니고 형식도 아니기** 때문이다. 언표는 관계적 사건이다. 담론은 랑그가 아니다. 푸코는 "다른 형식의 규칙성과 다른 유형의 관계", 즉 언표들끼리의 관계, 설정된 언표군들 사이의 관계, 언표들과 언표군들 사이의 관계 그리고 모든 다른 차원의 사건들에 관하여 이야기한다. 고고학은 "어떤 지표 없이는 이렇게 나타날 수 있는 모든 관계들을" 설명할 수 없다. 언표들 및 언표군들과 비-담론적인 사건들 사이의 관계들은 원칙적으로는 고고학의 대상이 아니다. 푸코는 가장 빈약한 풍부함으로 만족해야 한다. "따라서 나는 언표들 사이의 관계들을 기술하기를 시도했다"[12], 즉 **담론적 형성**의 관계들 말이다. 그는 이것들을 "관계들의 게임", 즉 공존, 연속, 상호 기능, 상호 결정, 독립적 혹은 상관적 변형으로 간주한다.

과학적 실천의 담론적 분석을 시도하기 위해선, 언표를 동일한 문서고에 속하는, 일련의 다른 언표들 내에서 보는 것이 필요하다. **에피스테메**는 한 시대의 담론적 실천, 즉 "한 명제가 지시체를 가지

---

[11] CL, p. 157(인용자 강조).

[12] AS, p. 44.

고 있는지 아닌지를 말할 수 있기 위한, **상관관계들의 공간**"[13]을 표현하는 관계들의 구성일 뿐이다. 개별화적이었던 언어의 논리적 분석과 다르게, 고고학은 **상관적 분석**이다. 푸코는 의미와 기의를 체계 안에서의 요소(언표)의 위치에 의해 결정된 **의미적 가치**들로 여긴다. 이처럼 고전적 **에피스테메**에 대해 '**나는 생각한다**'라는 정식은 체계 안에서 한 요소를, 즉 지식의 횡단적 개념으로서 기능하는 **하나의** '에피스테메'를 표상한다. 그것의 '가치'는 일반적 질서(**에피스테메**)의 급변과 함께 변화한다. 담론의 '관계들의 게임'으로서의 이 정의는 체스 게임이라는 소쉬르적 비유가 문서고의 차원으로 이전된 결과이다.

누군가는 우리에게 언표 이론에 대한 이러한 해석은《지식의 고고학》에서 말하는 것, 즉 언표는 언어적 기호의 존재 조건이라는 것을 고려하지 않는다고 반대할 수 있다. 결과적으로, 언어학의 원리들을 고고학에 이전하는 것은 정당하지 않을 것이다. 논의의 정신에서 이 지적은 옳다. 그러나《지식의 고고학》은 거의 구어적이지 않은 텍스트이다. 고고학이 언어학이 아님은 분명 사실이나, 이것이 고고학이 언어학으로부터 아무것도 습득하지 않음을 의미하는 것은 아니다. 담론, 기호 그리고 기호의 차원에의 주체의 종속의 개념들을 고안한 것은 푸코가 아니다. 소쉬르에게 파롤은 랑그의 존재 조건이다(파롤에 문장이 속한다). 푸코는 문장이 무언가를 말한다면, 문장(즉, 언표)에 의해 말해진 것은 문장의 존

13 AS, p. 118(인용자 강조).

재 조건이라고 생각한다. 이 원리는 무언가를 언표하는 기호들의 모든 계열에 유효하다. 그러나 기호의 존재 조건은 동시에 기호의 인식 조건이다.[14] 우리는 기호에 의해 (파롤에서, 담론에서) 말해진 것을 인식하기 때문에 (랑그의) 기호를 알아보는 것이다. 언표에 대한 인식은 동일성과 차이의 '논리', 즉 대립과 분별을 통해서만 일어날 수 있다. 달리 말하자면, 언표는 논리적 본질이나 선결적 의미일 것이다.

언표적 기능의 특성들은 우리가 이 관점을 지지하는 것을 가능하게 해준다(논변상의 이유로, 우리는 푸코가 제시한 순서를 뒤집었다).

(1) 우선 '언표의 물질성'이 있다. 언표가 있기 위해선, 어떤 정식화가 그만의 사건들을 지닌 의사소통의 수로를 지나 주어져야 한다. 언표는 이 사건들과 섞이지 않는다. 그것은 발화행위가 아니며, ('코드'의, '맥락'의) 한계들을 인식함으로써 무한히 변화할 수 있다: 언표는 반복될 수 있는데, 왜냐하면 그것이 "재기입과 전사轉寫의 가능성들을 정의하기"[15] 때문이다. 푸코가 말하길, 이 물질성이 **언표의 정체성**을 보존한다. 이 동일한 정체성을 위해, "두 번째 군의 조건과 한계: 그 한가운데 나타나는, 다른 언표들의 총체에 의해 두 번째 군에 부과되는 것들"[16]이 있다. 따라서 푸코는 여기서 우리가 소쉬르 이래로 알고 있는 두 유형의 대립을 다룬다. 이 대립은 바로 '언표하기-언표되기' 관계와 단위들 사이의 관계

14 CL, p. 168(인용자 강조).

15 AS, p. 136.

16 상동.

이다. 그러나 우리는 일반적인 대립 체계에 직면하지 않는데, 왜냐하면 '안정화의 장'과 '사용의 장'에 관계하기 때문이다. '가치'는 의미와 뒤섞인다. (언어의 '경험적' 혹은 '실재적' 수준으로서의 언표는 그가 말하는 것 이외를 말할 수 없다) 언표의 수준에선, 실재적인 (실제로 말해진) 것만 가능하다.

(2) 두 번째 특성은 장의 관념을 설명한다. 이는 언표가 의미와 기의를 이미 갖는, 랑그에 '결합된 장'이라는 구체적인 영역을 말한다. "모든 언표가 이처럼 특수한 상태이다. 언표 일반, 자유롭고, 중립적이며 독립적인 언표는 없다."[17] 우리는 게임 일반은 없으며, 실제적이고 효율적인 타격을 가하는 구체적인 게임이 항상 있다고 말할 수 있다.

(3) 세 번째 특성은 앞서 살펴본 두 특성의 결과이다. 발화의 주체는 "실체적으로도, 기능적으로도"[18] 언표의 주체가 아니다. 여러 측면들이 고려되어야 하는데, 먼저 언표의 주체는 언어적 연사 AZERT 내부에 있지 않으며, 일인칭의 부재에도 주체가 있다. 또한 주체는 사용 장에 종속된다. 이 모든 것이 바로 과학의 담론이 우리에게 보여주는 것이다[19]. 언표의 네 번째 차원은 그 '상관항'의 정의와 관련되는데, 우리는 이를 보다 자세하게 다루겠다.

(4) 푸코는 언표들의 상관항에 대해 말할 때, 지시를 하는 대상들이 아니라, "그러한 대상들이 나타날 수 있는 한 영역"[20]에 관한

17 AS, p. 130(인용자 강조).

18 AS, p. 125.

19 "Qu'est-qu'un auteur", DE I, p. 800.

20 AS, p. 120.

것이라고 말한다. 언표는 의미의 출현과 지시의 할당을 위한 가능성의 조건, 게임대에서 각 대상의 자리를 정의하는 조건이다. 고고학은 일종의 **장소학**인데, 왜냐하면 '언표적 기능'은 판단의 모든 논리적 기능들의 선결 조건이기 때문이다. 언표의 상관항을 찾으며, 고고학은 기능들의 포화와 모든 연사화 관계의 실현에 선행하는 대립들과 규칙들의 체계를 발견한다. 혹자는 모든 연사의 시간적 실현이 게임대 위의 전략적인 운동이라 말할 것이다. 담론적 게임은 1)**대상들의 영역** 2)**가능성의 법칙들** 그리고 3)**존재 규칙들**로부터 정의된다.[21] 이 삼위일체가 논리적 원자주의의 옛 도구들 1)(잘 형식화된) 어휘 2)형성 규칙들 3)변형 규칙들을 대체한다. 증거가 주어질 수 있는데, 푸코는 "언표 자체에 의해 게임에 놓인 **대상과 사태, 관계들의 장소, 조건, 생성의 장**을 형성하는"[22] 지시성에 관하여 말한다. 우리는 i)대상들 ii)사태들 iii)관계들을 위한 장소적(장소, 장), 초월적(조건) 그리고 역사적(생성) 조건들을 찾는 것과 관계가 있음을 잘 알게 된다. 따라서 이는 러셀의 인식론에서처럼 실재론적 실체를 기술하는 것은 어림도 없다.

푸코가 말하는 이 지시성은, 이 단어에 소쉬르가 부여한 의미에서, **차이적 성격**을 갖는다. 소쉬르는 그의《일반언어학 강의》(4장 2절)에서, 가치들은 내용에 의해 긍정적으로가 아니라 체계의 나머지 항들에 관하여 부정적으로 정의되는, 그것들은 그것들이지 않은 것들인, '차이적 개념들'이라고 말했었다. 보다 나아가서(4절)

21 상동.

22 AS, p. 121.

소쉬르는 정확히 "기호를 그 전체성에서 고려하자마자, 우리는 기호의 차원에서 긍정적인 것의 앞에 있게 된다"[23]고 밝힌다. 따라서 차이들의 부정적 게임이 기호의 관계적이고 긍정적인 정체성을 보장하는 것이다. 담론의 수준으로 이전된 이 원리가 푸코로 하여금 언표적 수준의 기술은 "언표와 이것들의 차이들을 나타나게 하는 차이화 공간들 사이의 관계들을 분석함으로써"[24] 행해져야 한다고 말하게 하는 것이다. 그런데 이 정식화가 우리를 속이도록 내버려두지 말아야 한다. 언표가 (이미) 차이화이고 게임대 위의 관계적 정체성이 아니었다면 차이들이 **나타나도록** 할 수 없을 것이다.

《지식의 고고학》에 언어 게임이 있다는 충분히 놀라운 생각을 받아들이기 위해선, 푸코에게서 비트겐슈타인의 가르침과 일치할 언어의 성격에 대한 몇몇 규정을 재발견해야 할 것이다. 《지식의 고고학》에서 언표와 삶의 형식 사이 관계에 관해 고려한 모습을 발견하고, 《탐구》와의 올바른 비교의 요구에 이처럼 응답하는 것은 어려울 (심지어는 불가능할) 것이다. 그러나 비트겐슈타인이 언어 게임을 항상 실천과 관련하여 이해했던 것은 아니다. 30년대 초, 그가 형식 언어의 모델을 의심하기 시작했을 때, 그는 '언어 게임'이라는 표현을 계산을 가리키기 위해 사용하고 있었다(《철학적 문법》, I, 31절). 계산의 모델은 문장을 말하거나 이해하는 것은 정의된 규칙들을 따라 계산을 실행하는 것이라는 생각에 있었다.[25]

---

[23] CL p. 166.

[24] AS, p. 121.

《청색책》에서, 그는 단지 '언어 게임'이라는 표현만을 사용하기 위해 계산의 관념을 결정적으로 포기한다. 그는 언어는 규칙들에 의해 통치된다고 여전히 이해하나, 규칙의 다른 개념을 자리에 놓고 '규칙 따르기'(즉 규칙을 사용하거나 이해하기)와 단순히 규칙에 부합하여 움직이기를 구별한다. 1932-1935년의《케임브리지 강의》에서 비트겐슈타인은 "어떤 낱말의 의미는 그 사용 규칙들에 의해 정의되어야 한다"[26]고 말했다. 그는 어떤 낱말의 의미는 (《탐구》 43절에서처럼) 그것의 사용이라고 말한 것이 아니다. 그는 이어서 우리가 규칙의 적용 체계를 제공해야 한다고 정확히 말하지만, 초기의 정식화는 비트겐슈타인이 **사용 규칙**이지 **규칙의 사용**을 생각하는 것이 아님을 증명한다. 그는 계산에서처럼 "우리는 게임하기 이전에 게임 규칙을 정해야 한다"(13절)고 말하는데, 이것은 바로 원시어 게임을 한 쪽에 놔두는 것이다. 이처럼 "우리의 언어 사용은 **규칙들을 따라** 게임하는 것과 같다."[27] (《탐구》에서 광범위하게 사용될) 표현*according to rules*은 "*a process in accordance with a rule*"과 "*a process involving a rule*" 사이의 구별에 의해 가능해질 명료화의 혜택을 아직 받지 못했다(《청색책》 참고). 메릴과 힌티카는 이 차이를 비트겐슈타인의 초기 모델에는 언어 게임보다 규칙들이 우선이었다는 생각으로 설명했다. 반대로 후기 철학에서는 "언어 게임이 규칙에 비하여 개념적으로 일차적이다."

[25] RP, §81.

[26] CC, §2.

[27] CC, §29(인용자 강조).

결과적으로, 언어와 삶의 형식 사이 관계에 대해 비트겐슈타인이 말한 것을 추상화하면, 우리에게 푸코의 소쉬르적 개념화와 유비하는 것을 가능하게 하는 언어 게임의 특성을 획득한다. 그러한 성격 규정의 요소들은 다음과 같다.

(1) 우선 모든 게임은 규칙들의 유한한 총체와 이 규칙들이 적용되는 요소들이라는 생각이 있다. 유한수의 이 규칙들은 '어떤 타격(어떤 파롤)이 성공을 가져올지를 결정하지 않는다.' 이것들은 언어 산출의 한계 원리로서 기능하며, 옳거나 의미가 있는 것만을 취하도록 한다.

(2) 한 낱말의 의미는 지시적 정의에 의해서도(즉, 어떤 대상을 명명한다는 사실에 의해서도), 낱말에 결부된 감정이나 감각에 의해서도 주어지지 않는다.[28] 비트겐슈타인에게, 언어는 주체-객체 관계 내부에 있지 않다. 그것은 **코기토**와 세계의 대상들을 (언어의 아우구스티누스적 이미지에서처럼) 연결하는 것에 의해 유지되지 않는다.

(3) 낱말과 명제의 의미는 게임 규칙들에 의해 결정된다. "두 낱말은 이들이 그 사용을 위한 동일한 규칙들을 가지는 경우 동일한 의미를 갖는다."[29] 규칙이 변하면 의미도 변하지만, 규칙의 변화가 게임을 바꾸지는 않는다. "우리가 게임의 역사에 관해 말할 때만 우리는 변화에 관하여 말할 수 있다. 규칙들은 그들이 일종의 실재로, 낱말이 영원히 갖게 될 일정 의미로 응답한다는 의미에서 자의

---

28 CC, §2.

29 상동.

적이다."[30] 소쉬르주의자에 따르면, 이는 기호는 자의적이고 랑그는 부동의 가치 체계라는 것이다. 그러나 시간이 지남에 따라, 랑그는 변천(한 기호의 기의와 기표 사이 관계의 변화)을 겪는다. 공시적인 면에서의 기호의 정체성은 자의성의 법칙과 언어 공동체의 관성에 의해 보장된다.

이제 우리는 분석의 세 번째 지점으로 넘어갈 수 있다.

3. 비트겐슈타인 이후: 언어 게임과 권력 게임

전통적인 방식으로, 담론, 언어, 사유, 관념, 의미, 해석, 문서고 그리고 이성에 대해 논하는 것은 몸, 정념, 고통, 행위, 게임, 폭력, 지배, 사물과의 결정적 만남, 삶 그리고 죽음에 대해 논하는 것과 같지 않다. 그러나 서양 문화에서 영혼과 몸의 소통을 보장하는, 두 운명적 계열의 조우점이 있다. 그것이 바로 **진리**이다. 60년대 초, 푸코는 분석된 두 '계열'(담론과 실천)이 함께 '서구 사회에서 진리의 결과의 역사'의 대상이 될 수 있음을 깨달았다.

《담론의 질서》에서, 푸코는 그의 계보학과 지식/권력 관계가 될 것의 첫 대강을 제시한다. 그는 담론의 제한, 전유 그리고 배제를 다뤄야 할, (예를 들면, 언어의 금지 사항들을 분석하고, 사이비 과학적 담론의 효과를 측정하고, 저자의 원리가 되는 것을 찾아야 할) 분석의 **비판군**批判群과 "담론의 효과적 형성의 계열들에 부착되는"[31] **계보학**

30 상동.

31 OD, p. 71.

군을 구별한다. 두 번째 군은 제한 형태들을 찾는 데서 나와 부정적인 특성이 없으나, 정반대로 "대상 영역들의 구성력"[32]을 찾는 긍정적인 특성을 갖는다.

푸코는 1974년 리우 데 자네이루 강연에서 (방법론적 소명을 가진) 〈진리와 사법적 형식〉이라는 원고를 발표하며 계보학을 소묘한다. 여기서 그는 자신의 방법을 세 가지 좌표에 따라 재정의한다. 이 좌표들은 바로 1)지식-권력 쌍의 본성의 탐색 2)니체적 의미에서 계보학적 방법의 적용 3)고고학과 계보학의 일치 작업이다. 푸코 스스로도 강연의 사이클은 현존하는 여러 연구들이 '수렴하는 지점', 이전의 탐색들이 대면하고 모이는 곳이라고 말한다. 다음의 세 가지 탐구축이 모이기 위해 대면된다. 실천과의 관계에 대한 과학사, 담론 분석, 주체 이론의 (장래) 재구상이 바로 그것이다. 마지막 단계에서는 푸코가 새롭게 의미를 부여한, 의학의 고고학과 담론 분석을 통합해야 한다. 푸코는 여기에 주체 문제를 도입하기 위해 실천에 대한 분석을 재고한다. "어떻게 사회적 실천들이 […] 새 개념, 새 기술이 나타나도록 하는지 뿐만 아니라, 주체와 인식 주체의 완전히 새로운 형식이 나타나도록 하는지를 보이는 것이다."[33] 그는 마찬가지로 담론 분석을 여전히 회고적 방식으로 재정의한다. "그렇다면 이 담론의 사실들을 단순히 그들의 언어적 측면에서가 아니라, 일정한 방식 — 이와 관련해 나는 영미인들이 실행한 연구들에서 영감을 받는다 — 으로, 놀이, 게임, 투쟁뿐만 아니

32 상동.

33 "Quarto" DE I, pp. 1406-1407.

라 행위와 반응, 질문과 대답, 지배와 탈피의 전략 게임으로서 고려하는 순간이 왔을 것이다. 담론은 어떤 수준에서는 언어적 사실들의 규칙군이며, 다른 수준에서는 논쟁적이고 전략적인 사실들의 규칙군이다."[34] 담론을 전략적 게임으로 해석하는 것은 이미 《지식의 고고학》(1969)에서부터 등장하였으나, 푸코는 이러한 실용주의의 방향으로 가지는 않고 있었다. 고고학의《말과 사물》은 질문 "*how to do words with things?*"에 응답하고 있지 않다. 고고학적 언어 게임은 보드 게임, (체스 게임과 같은) 게임-계산 혹은 공간성을 내부 차원으로 통합하는 결합 게임이다. 이것들은 공간상 일종의 '순수한' (담론적이기 때문에) 종합을 전제하거나 공간을 질서의 질료로 삼는 게임들이다(언어 게임은 담론적 '장', '표면', '점', '성좌'를 낳는다). 지식의 공간화 관념은 고고학적 **장소학**을 낳는데, 이는 담론적 장소의 '순수한' 기술이다. 이 장소학은 **위상학**, 지식이 제도 속에 자리 잡는 것을 기술하는 것으로 대체될 것이다. 우리의 용어법은 **내부사**, 즉 타당화의 고유한 규칙들을 갖는 과학 담론들 내부의 역사와 진리 형식을 정의하는 **사회적** 장소와 규칙의 **외부사** 사이의 푸코적 구분에 조응한다. 고고학에서 푸코는 담론의 자율성을 가정하며 인간과학들의 (고유하지 않은) 내부사를 하려 시도했으나, 자신이 해야 할 것은 오히려 외부사임을 깨달았다. 이는 **무언가**의 진리는 인정된 진리임을 보이는 것과 관계가 있을 것이다. 따라서 진리는 사회적 타당화의 형식으로부터 독립적

34 상동.

이지 않다. 푸코의 새로운 목적은 "인식 주체의 역사적 구성을 사회적 실천에 속하는 일군의 전략으로서 포착된 담론을 통하여 보여주는 것"[35]이다.

진료소와 요양소에 대한 분석이 이미 이 기획을 알리게 되었고, 이제 우리는 지식 범주의 실천 세계로의 복귀에 주목한다. 그러나 이 복귀는 '방법론적 계기'로 생겨나, 사법적 실천들의 분석으로 시작한다. 여기에는 두 문제가 개입한다. 1)사법적 형식들의 역사는 담론의 '방법론적' 분석에 어떤 점에서 빛을 (빛이 있다면) 지는가? 2)**수단** 혹은 **기술** — 조사, 검사, 시험 — 이 그만큼의 진리 **형식**임을 어떻게 정당화할 것인가? 푸코가 이 문제들을 명확히 제시하지 않았다 해도, 이것이 그가 이 문제들을 완전히 몰랐음을 의미하진 않는다. 그는 우리가 니체 철학을 참조하여 두 번째 질문에 직접적으로 답하도록 한다. 반면 첫 번째 문제는 빠져나갈 출구가 없어 보이는데, 이는 계보학적 전환이 옛 담론 분석의 이의 없는 극복을 의미하기 때문이다. 그렇다면, 어떤 관심과 어떤 논리를 따라 담론을 **게임**과 **언어 행위**로 재정의하고, 이후에는 니체를 읽는 데 푹 빠지게 될 것인가? 이러한 우회와 푸코가 더 이상은 결코 언어를 언어로서 논하지 않는다는 사실을 어떻게 설명할 것인가? 푸코는 자신의 책에서 니체에 관해 항상 말했지만, 계보학적 방법을 진정으로 적용하지는 않았다. 그럼에도 그는 니체에게서 '언어학을 향한 열림'과 철학의 비-철학적인 언어에 대한 관심을 찾아냈

35 "Quarto" DE I, p. 1408.

다. 바로 정확히 이 '열림'이 우리의 모든 관심에 값하는 것이다.

푸코가 언어의 존재를 논할 때 니체에게서 영감을 받았다는 사실에 의심의 여지가 없는 것과는 달리, 비트겐슈타인이 니체의 철학에서 단 하나라도 의미 있는 낱말을 발견했다는 것은 거의 불가능해 보인다. 그러나 니체와 비트겐슈타인이 제기한 실재론 비판의 문제에는 어느 정도 '가족 유사성'이 있다고 말할 수는 있을 것이다. 이는《선악의 저편》20절에서 니체가 쓴 표현 '가족 유사성'의 사용과 정확히 관련이 있다. 비트겐슈타인 철학의 전공자들은 가능한 근거 하나를 지적했다. '《대타자본》에서 비트겐슈타인은 슈펭글러가 문화적 시대들이 갖가지 방식으로 서로 다른 가족 유사성에 따라 분류될 수 있음을 인정하는 대신에, 이 시대들을 교조적인 방식으로 가족으로 분류했다고 비난한다.' 비트겐슈타인이 이 표현을 제안하며 역사적 세계에 대해 말한다는 것이 우리의 논의에 중요하다. 비트겐슈타인의 불만은 우리에게 니체의 역사적 의미의 비판뿐만 아니라, **에피스테메**의 고고학적 기제를 상기시킨다. 푸코는 근대사의 본질주의적 시기 구분을 반박하고 있었는데, 이 구분은 어떤 '가족 유사성'에 의해 모여지는 (자연사와 생물학 같은) 담론들을 전체로 취하는 것을 허용하고 있었다. 이 과학들은 아주 다른 규칙들을 따라 기능했다. 그러나 푸코는 이러한 주장을 그가 (《말과 사물》에서) 데카르트의 '나는 생각한다'와 칸트의 '나는 생각한다' 사이의 모든 유사점에 대해 항의할 때 너무 멀리 밀어내고 있었다. 이와 정반대로, 그가 언어를 '게임'으로 이해하는 문제를 제시하자마자, 그는 비트겐슈타인적 절제와 함께 이 가족 유사성 관념을 실천한다. "나에겐 주체 이론이 여전히 아주 철학적, 아주 데카르트적이고 칸트적인 상태로 머물고 있는 것으로 보인다. 왜냐하면 내가 처한 일반성의 수준에서, 나는 데카르트적 개념화와 칸트적 개념화 사이에 차이를 두지 않기 때문이다."[36]

이러한 역전은 비트겐슈타인의 몇몇 관념들과 맺는 보다 긴밀한 관계와 동시대적이다. 비트겐슈타인은 게임도, 언어도 정의하지 않는다. 따라서 그와 푸코 사이의 우리의 유비를 "게임들"의 혼돈으로 이어지는 '고정 관념'으로서 고려하는 것이 가능하다. 우리는 비트겐슈타인에게 언어 아래 혹은 언어 안에 힘에의 의지의 게임과 같은 무언가가 있을 것이라는 생각을 옹호하지 않는다. 그러나 언어 게임은 위치, 제도, 장소, 문명 규칙, 삶의 형식에 의존한다는 보다 약한 관념, 이 관념은 정말 지지할 만하다. 왜냐하면 글록Glock이 보여준 것처럼, '삶의 형식'이라는 표현은 독일 철학에서 긴 이력을 가지고 있기 때문이다. "언어를 말하는 것은 활동이나 삶의 형식의 일부이다"[37]는 비트겐슈타인의 생각은 언어 사용이 규칙들이 지배하는 언어 게임에 속할 뿐만 아니라, 이 규칙들의 습득은 언어적인 동시에 언어 외적인 환경에서 전개된다는 사실을 암시한다. 이 인용구에 대한 다른 해석들이, 비트겐슈타인 자신이 보여주는 것처럼, 우리가 '게임'과 '가족 유사성'의 관념이 언어 게임의 다수성을 전제하는 것을 부정하도록 해서는 안 된다. 이 다수성의 관념은 게임의 규칙들이 언어적이지 않은 맥락에 의

[36] 상동.

[37] RP, §23.

해 결정되도록 강제한다. 게임들은 의미론적 쟁점들을 가지고 있으나, 의미는 사용과, 즉 습득이라는 **실천**과 등가이다. 언어와 세계의 관계는 표상의 법칙에 따라서가 아니라(이것이《논고》의 옛 생각일지라도), 행위와 실천의 규칙들에 따라 기능한다. "우리가 언어라고 부르는 것은, 유비나 언어와의 양립가능성에 따르면, 무엇보다 우리 일상어의, 우리 구어의, 그 다음엔 다른 것들을 이루는 장치이다."[38] 이 생각이 언어 행위의 문제를 되찾게 할 것이다.

삶의 형식의 관념을 통해 우리는 **언어에는 힘이 부여되어 있다**고 말할 수 있다. 사람들을 함께 모으고 해산시키며, 무인도에서 연락을 취하고 덕담을 통해 위로 받으며, 사랑이나 증오를 받게 하고 전쟁이나 평화를 선언하는 힘 말이다. 니체의 독자, 푸코에게 특히 중요한 것은 이 마지막 생각이다. 전쟁이나 평화에 대한 선호가 있을 것이기 때문이 아니라, 사람들이 있은 이후로 **힘은 권력이 되기** 때문이다. 채권자는 채무자와 전쟁을 하는데, 이는 채무자가 그에게 평화를 돌려주지 않기 때문이다. 그들이 말하는 언어에는 그들의 돈이 채권과 채무로 부여되어 있다. 따라서 담론을 포기한다는 것은 말이 안 되고, 분석을 지식에 동연장인 권력 게임으로 이전해야 한다. 기호들은 양量을 취할 뿐, 그 이상도 그 이하도 아니다. 처형대 위의 사형 집행이나 사관학교의 건축은 사물의 언어를 말하는 **기호들**이다. 사물이 언어를 가진다면, 그것은 '언어 게임'을 통해 '말을 한다.' 따라서 이 기호들이 기호적 체계의 번역성의 법

38 RP, §494.

칙에 따라 담론으로 옮겨지는 방식을 분석하는 것은 비합리적인 일이 아니다. 담론은 그것이 전략적, 논쟁적 게임임을 이해한다는 조건하에 모든 것을 말할 수 있고, 이것이 바로 니체로의 회귀가 가지는 의미이다. 따라서 계보학은 언어 게임과 언어 행위에 관한 이론의 방법론적 만회를 허용한다. 리우 데 자네이루에서 진행되었던 강연의 후속 논의에서, 푸코는 언어 행위의 새로운 방법론적 의미에 관해 많은 것을 자세하게 밝힌다. 그는 언어 게임과 언어 행위의 가설은 "중요한 역사적 과정의 내부에서"[39] 사법적 담론의 연구에 적용될 수 있다고 간단히 말한다.

푸코는 권력의 물리학에 대해 말해야 한다고 하였다. 그러나 몸은 동물 정신의 데카르트적 기계학에 따라 움직이는 물체 덩어리가 아니다. 몸은 에너지와 관계의 미묘한 형태에 의해 횡단된다. 푸코에 따르면, 몸의 힘은 **장**場의 소관이다. **언어처럼, 몸은 관계이다.** 몸에 노동력이 있다면, 이 힘은 우선 힘으로서 형성된 것이다. 몸은 생산적인데, 이는 그것이 (재)생산되었기 때문이다. 몸은 예속되었고, 그 힘은 부여된 것이다. 따라서 니체가 말한 것처럼, 채권자와 채무자가 있고, 가능한 '잘못'이 있을 것이다.

개인들은 모든 방향으로 향하는 권력 관계에 의해 횡단되었다. 그들은 '원자'가 아니고, 관계의 장場들이다. 그들은 기제와 장치, 그리고 스스로 택하지 않았지만 그들을 신민으로 구성하는 관계 안에 놓여 있다. 그들은 기호와 표상에 의해 **예속되어** 있다. 이것이

---

[39] "Quarto" DE I, pp. 1499-1500.

니체의 계보학적 가설이다. 이러한 몸의 예속 운동은 **몸** 혹은 '개인'의 **기술**이라 불리고 생산과 재생산의 기제를 내포한다.

계보학은 본성상 맹목적인 권력이 자신의 진정한 본성을 위장하기 위해 표상과 의미, 제도와 담론이 됨을 보여주는 데 있다. 푸코는 무정부주의자인 동시에 기능주의자이다. 권력은 그 '존재' 안에서 순수 자유일 것이나, 사실 그것은 항상 규정된 전체이다. 개인은 권력의 존재와 기능적인 관계에 동시에 맞선 상태이다. 보다 정확히 말하자면, 개인은 기원의 진리와 사실의 담론에 관계를 맺듯이 권력에 관계를 맺는다. 푸코가 근대 사회는 통제의 파놉티콘 모델에 따라 조직된다고 말할 때, 그는 권력의 '물리학'은 기계학이 아니고 근대 지식이 다른 시대엔 '단순 본성'으로 나타났던 장에 침투하는 데 성공했다고 들리도록 내버려둔다. 근대 지식은 개인을 비-협약적인 단위들로 분해하는 데 성공했다. 근대 지식은 '장'의 지식이다. 그것은 장을 분해하고 다른 곳에서 재구성하거나 전혀 재구성하지 않을 수 있다. 우리는 관계의 장을 기초적 관계들로 분해하는 분석을 할 수 있으나, 이러한 '분석학'은 개인의 인식과 사법적으로 인지된 모든 다른 장의 사법적 '협약'을 항시 준수하는 것은 아닐 것이다. 개인은 다양한 방식으로 '계산 가능화' 되었다. 우리는 그의 몸을 자를 수 있으나, '기호'의 정체성을 준수하는 데에는 한계가 있다. 따라서 권력에 대한 푸코의 정의는 여러 가지로 해석될 수 있다. '파놉티콘'적 권력은 모든 것을 볼 수 있으나, 모든 것을 할 수는 없다. 그는 실제로도, 법적으로도, '모든 것'을 할 수 없다. 사실상 이는 관계가 많은 사회의 개인들이

행하는 반항이나 저항의 모든 몸짓을 벌하는 것은 불가능할 것이기 때문인데, 바로 여기에서 규범화의 근원을 가정해야 한다. 처벌하는 대신에, '규범화'(감시)해야 한다.

다른 한편, 규범의 논리학은 '개관적概觀的 시각'을 요구한다. 규범화 게임의 가장 좋은 기술은 다음과 같은데, 그것은 푸코가 아니라 비트겐슈타인에서 출발한 것이다. "규칙은 게임을 가르치는 하나의 보조수단이 될 수 있다. 규칙은 배우는 자에게 전달될 것이고, 적용이 행해질 것이다. 또는 규칙은 게임 자체의 도구이다. 또 어떤 규칙은 가르침이나 게임 자체에서 사용되지 않고, 규칙 목록에 적혀 있지 않다. 우리는 다른 이들이 어떻게 게임하는지를 지켜보면서 게임을 배운다. […] 그러나 이 경우에, 어떻게 보는 이가 게임에서 참가자들의 잘못과 올바른 운동을 구별할 수 있을 것인가? 이를 위해 참가자들의 행위에 지표가 있다. 잘못을 바로잡는 사람 특유의 행위를 생각해보라."[40]

그리고 고고학에서 제기되는 질문은 간단하다. 누가 말하는가? 푸코의 대답을 우리는 그의 권력 이론을 소개하며 보았다. '사건'과 계산 가능한 개인들에 대해서는, 말하는 것은 항상 권력이다. 담론에는 '조종자, 유도자 그리고 전략가'가 있다. 권력이 부여된 담론은 하나의 삶의 형식이다.

40 RP, §54.

6장
정치적 관점에서의 철학, 실천, 권력: 비트겐슈타인과 푸코에 관한 노트

파올로 사보이아(Paolo Savoia)

철학은 모든 것을 있는 그대로 내버려둔다.[1] 비트겐슈타인의 이 언표는 분명히 실망스러움과 심지어는 어느 정도의 보수주의도 드러내는 것으로 보인다. 첫 눈에 봤을 때, 비트겐슈타인의 철학은 우리가 진보적이고 혁명적인 사유라고 생각하는 것의 반대 위치에 있으며, 그리하여 그의 철학은 자주 이런 꼬리표를 달게 되었다. 본고는 분명한 것으로 나타나는 것, 즉 비트겐슈타인 철학의 보수주의를, 횡단하고 아마도 약간은 우회하는 경로를 통하여, 즉 지난 세기 가장 급진적이고 정치적으로 능동적이었던 철학자의 하나로 당연히 간주된 미셸 푸코의 사유에 존재하는 몇몇 주제들에 비트겐슈타인의 보수주의를 대질함으로써, 재고하고자 한다. 이는 비트겐슈타인이 푸코에 끼친 영향을 찾거나 비트겐슈타인을

---

1 RP, §124.

'정치적' 사유자로 만드는 것이 아니라, 두 철학적 방법과, 깊은 유사성을 제시하는 것으로 보이는 몇몇 주제를 병렬하며, 각 철학자의 몇몇 측면을 조명하는 것을 목적으로 하는 교차 조사를 통해, 그들의 차이성을 탐색하는 것이 될 것이다. 중심 문제는 다음과 같다. 두 개의 유사한 철학적 태도와 두 개의 방법이 정치적인, 또한 심오하게 다른 사유들을 낳는 것이 어떻게 가능한가? 혹은, 우리는 그토록 놀랍도록 유사한 철학적 스타일 안에서 하나 또는 여러 개의 심오한 차이점과 대립을 발견할 수 있는가?

두 가지 철학하는 방식 사이의 대면은, 자칭 보수적인 사유와 자칭 진보적인 사유의 차이라는 건 미묘하며 거의 지각할 수 없다는 것을 보여준다. 이것은 우리로 하여금 그러한 전반적인 성격 규정의 실제적인 효율성에 관해 자문하도록 이끌 것이다. 이 대면은 또한 주체를 자신이 사는 환경에서 외부로부터 도달할 수 있고 자율적인 방식으로 그 사회적 연계를 투사할 수 있는 기원적이고 환원할 수 없는 자유의 담지자로 삼는 철학과, 차별점을 다른 데서 찾기 위해 그 지평을 불가피하게 표시하는, 전통적이고 자연적인 장애와 연결의 망상조직에 주체가 포착된다고 간주하는 철학을 구분하는 표준적 분류를 문제 삼도록 이끌 것이다. 역설적이게도, 푸코의 철학은 사회적 민감함만큼이나 정치적 변화에 관한 실천적 토대가 부재한 것과 관련하여 비판의 대상이었다.

나는 무엇보다 특히 《탐구》에 의거하여 두 철학자가 철학의 실천을 **윤리적 자세**로서 간주했을 것이라는 사실로 시작함으로써, 그들의 방법과 철학에 대한 윤리적 접근법에 관한 비트겐슈타인과 푸코 사이의 깊은 일치를 보이도록 할 것이다. 그 다음에, 나는 특히 우리가 '제2의 비트겐슈타인'이라 부르는 것에 의거해서, 몇몇 주제에 대한 이 일치의 내부에 있는 차이들에 집중할 것이다.

1. 철학: 자세와 방법

첫째로, 이 글에서 고려되는 두 철학자가 언어와 '외부' 실재 사이의 대응 주장을 중단시키려 했을 것이라는 사실에 관한 짧은 예비적 언급이 필요하다. 이 둘 모두 어떤 명제의 참이나 거짓이 세계 사물들의 실제적 실재에, 즉 사물들이 언어에서 완전히 표상될 수 있는 가능성에 대응한다는 생각을 비판적인 방식으로 논의하지 않는 철학은 비생산적인 것으로 간주한다. 보다 멀리 가려고 할 것 없이, 언어와 실재 사이 관계에 관한 이 공통적인 접근법을 항시 기억해야 할 것인데, 이 접근법은 기호와 사물 사이 대응 주장처럼 실재의 직접적이고 직관적인 바라보기, 의식과 세계 사이 완전한 대응의 가능성을 배제한다. 우리는 이 접근법을 본 연구의 진정한 근저에서 매우 자주 발견할 것이다.

비트겐슈타인과 푸코의 철학적 방법론과 철학관을 직접 관찰하기 위해선, 두 철학자의 방법론적 **스타일**에서 유사성을 보다 정확히 식별한 뒤 이러한 차이들을 다시 취하기 위해, 언어의 실제적 문법이나 언어 게임, 지식 대상의 구성 혹은 권력 관계이건 간에, 이것들이 적용되는 대상들에 대한 추상화 연습을 가능성의 한계

내에서 실행하는 것이 필수적일 것이다. 철학이라 명명된 일군의 체계화된 지식을 처음 볼 때, 우리는 거기서 극단적으로 심오하고 매력적인 무언가, 보편적 의미, 모든 것의 본질과 이들의 토대를 항상 찾는 지식과 관련된다는 (올바른) 인상을 받는다.[2] (전통) 철학은 '본질'에 대한 연구이고, 이 본질은 항시 숨겨진 어떤 것, 즉 절대적이고 일반적인, 눈에는 보이지 않는 내부성에 들어 있는 신비하고 기원적인 어떤 것이다. 비트겐슈타인에 따르면, 이 철학은 이상체, 즉 그 참된 가능 해결책의 탐색으로 철학을 이끄는, 사유를 통해 실재의 본질에 닿고, 사유와 본질을 접촉시키는 이 소통적 내부성의 외부적 드러남과 다름없을 명제들에 의해 본질을 표현하는 이상체에 사로잡힌 죄수이다. 이 '수정 같은 순수함'의 이상체는 소여로 간주되어서는 결코 안 되며, 오히려 '요구'[3]로 간주되어야 한다. 이 요구는 우리가 사물의 본성을 본다고 믿게 만드는 반면에 "우리는 우리가 그 본성을 고려하는 형식을 따를 뿐"[4]인, 그리고 우리의 이상체가 실재에 있어야 하고 실재의 근본적인 구조여야 한다고 완고하게 생각하게 만든다. 여기에 철학의 특별한 교조주의, 철학자들이 이상체를 사유의 끝이 아니라 시초에 있고, 따라서 이를 정확한 방향에서 조건지우는 렌즈보다는, 단번에 모든 현상들을 설명하기 위해 찾아야 할 숨은 소여로 간주하도록 강제하는 철학의 **폭력**이 있다.

2 RP, §92.

3 RP, §114.

4 RP, §90.

따라서 비트겐슈타인이 제안하는 철학은 완전히 새로운 길을 걷는다. 그것은 그 문제들을 물려받기 때문에만 '철학'이라 명명되는 것처럼 보이고, 이는 이 문제들을 해결하기 위해서라기보단 이들의 잘못을 공개하기 위해서이다. 이러한 새로운 철학 연구는 더 이상 현상이 아니라 '현상의 가능성들'에, 철학적 문제들이 정식화될 수 있고 없는 실제적 방식의 연구를 통해서, 즉 언어의 실제적 사용의 관찰을 통해 관심을 갖는다.[5] 따라서 이 새로운 철학의 이상은 극단적으로 취약한 토양에서 모두 완성되는 이론적 구성과 가설과 주장의 산출, 언어적 오해에 기대는 이상체에 맞서는 **기술**記述이다. 비트겐슈타인은 이처럼 언어의 실제적 사용에 집착하고, 파롤을 '그들의 형이상학적 사용에서 일상적 사용으로' 되돌리는 임무에 전념한다. 따라서 철학은 사물들의 외부성, 신비스런 비밀 과정을 가정할 필요가 전혀 없이 구체적으로 제시되는, 이들의 조합과 관계 가능성을 기술하는 데 제한된다. 기술한다는 것은 질서지우는 것을 의미하나, 비트겐슈타인은 처음부터, 이는 균등함으로 환원하기보다는 차이들을 늘리는 데 있는 관찰을 통한, **유일한** 질서가 아니라 '많은 다른 가능한 질서들 중 하나'라고 정확히 말한다. 따라서 철학 활동과 그 목적은 사물의 '개관적 표상'을 얻는 것인데, 이는 현상들을 다른 기술적 틀에서 재구성하기 위해 이들 사이의 연결을 보고 '고안'하는 데 있으며, 결코 지키지 않을 약속을 매번 다시 하며 우리를 걱정시키는 형이상학적 표상을

[5] RP, §107.

해체할 수 있을 때만 효율적일 것이다. 그렇게 함으로써 비트겐슈타인은 이론적으로 도달할 수 있는 장소에의 사물들의 궁극적 기초두기의 가능성에 근본적으로 이의를 제기하고, 이들을 언어와 그 구체적 사용의 분석을 통하여 이들의 특징과 함께 떠오르는 관계들의 전체에서 복원하려 노력한다. 실제로 우리는 철학을 오로지 시詩로만 쓰고, 관계들을 찾고, 가능한 양식들 중 하나에서 철학을 명확히 기술하는 목적에서, 이전의 걱정들을 가라앉히고 철학을 실천하는 이의 **삶의 형식**의 개선에 동의하기 위해, 철학이 눈앞에 가진 외부성을 돌봐야 할 것이다.

사실, 비트겐슈타인의 철학적 방법은 전통적으로 철학 외적인 것으로 간주된 것을 향한 열림을 제공한다. 그의 철학은 영원불변의 대상들이 아니라, 실제 언어의 관찰을 통해 시공간적으로 결정된 현상들을 그 특수성을 거두기 위해 논한다. 비트겐슈타인 철학의 모든 해체 및 비판 활동은 이처럼 실증적 의무와 겹친다. 비트겐슈타인은 바로 단지 이 역정의 끝에야, 철학은 모든 것을 있는 그대로 놔둔다는 결론에 도달하는데, 이는 철학적 이론에 대한 그의 혐오를 정식화하기 위한 것이다. 근본적인 유일한 진리는 하나도 없기에, 이처럼 비트겐슈타인에게는 "다양한 치료법들이 있는 것처럼, 철학에는 **하나의** 방법이 아니라 여러 개의 방법이 있다."[6] 따라서 이 철학적-기술적 활동의 목적은 원칙적으로는 철학이 계속해서 희망 없이 그 전통적 문제들 안에서 쌓이는 것을 언어적 명

[6] RM, p. 98.

증 행위에 의해 피하는 것인데, 이는 철학이 다른 곳을, 그 자신을 넘어, 그것이 삽입된 실천과 **삶의 형식**의 방향으로 보도록 한다. 철학의 목적은 철학의 바깥에 있는 것처럼 보인다.

이젠 푸코의 철학적 방법[7]과 철학에 관한 그의 생각들과 그의 철학의 표시를 제거하기 위해 유사한 길을 따르도록 하자. 푸코는 여러 번에 걸쳐 관심 대상들을 바꿨고, 그 결과 이들을 계속 좇기 위해 사용된 방법들은 다양하다. 그래도 그의 철학적 활동에 관한 일반적 관점을 구축하는 것은 가능하다. 첫째, 전통 철학에 대한 그의 자세는 명백하다. 그는 본질과 숨겨진 원인에 대한 이론으로서의 철학을 반박하고, 철학적 지식의 대상들의 연속성과 영원성을 비판하며, 그 과도적 성격과 역사적 다변성을 보이는 데 바로 전념한다. 푸코의 철학이 기능하는 방식을 이해하는 데 가장 중요한 용어 중 하나인 계보학은 바로 "이념적 의미와 불특정 목적론의 메타-역사적인 배치에" 대립한다. 또한 "그것은 '기원'에 반대" 하는데, 여기서 기원은 비트겐슈타인이 숨겨지고, 보이지 않으나 세계와 사유의 모든 행로를 지배하는 본질과 토대라고 부른 것을 의미한다. 이 매력적인 불분명함에, 푸코는 낮고, 바닥에 있고, 하찮고, 외부적이고 우연적인 것으로 간주되는 사건의 개별성과 물질성에 대한 탐구를 맞세운다. 대상들의 본질의 숨겨진 내부성에 깃들어 있는 이들의 영원성 대신에, 푸코는 이 동일한 대상들의 역사적 구성을, 결코 직선이 아니라 격차, 단절, 즉흥적 전환, 배제로

[7] DE I, pp. 1004-1005.

이루어진 역정을 통하여, 이들이 베일을 벗는 실제적 구체를 관찰하며 조사한다. 그러나 푸코는 이론을 구축하는 것이 아니라 **분석학**에 필요한 장비를 갖추려 함을 또한 명백하게 단언한다. 권력 관계를 주제로 한 1978년의 한 소론에서, 푸코는 자신과 비트겐슈타인의 유사성의 핵심을 그럴듯하게 표현하는 무언가를 말하는 것으로 보인다. 철학은 자기 자신을 예언으로서, 법칙을 만드는 것으로서 생각하길 그쳐야 하고, 그 반대로 "분석하고, 밝히고, 가시화하는" 의무를 스스로에게 부여해야 한다. 그는 이어서 말한다. "철학의 역할은 감춰진 것을 발견하는 것이 아니라, 정확히 보일 수 있는 것을 보이게끔, 즉 우리 자신에게 아주 가깝고, 아주 즉각적이고, 아주 친밀하게 연결돼서, 이 때문에 우리가 지각하지 못하는 것이 나타나도록 하는 것이다."[8]

푸코의 고고학과 계보학은 보통은 거의 또는 전혀 지각되지 않는 것에 관하여 거리두기 효과를 낳고, 전통 철학이 그 거대한 이론적 구축물들과 함께 엄폐하는 데 공헌하는 (이는 그 정치적 효과들을 직접 증명한다) 기술을 제공하는 것을 정확히 목적으로 한다. 푸코에게 철학은 그 대상들에게 전반적이고 전체적인 선택지를 주는 것이 아니라, 그 실제적 기능에서 이들을 고려해야 한다. 푸코는 **무엇을 또는 무엇이** 대신에 오히려 **어떻게**를 논한다. 즉 그는 결과들을 원인들과 혹은 근본적 본성과 관계시키지 않고 이들을 명백하게 기술하는 것으로 스스로를 제한한다. 푸코가 정확히 말

---

[8] DE II, pp. 1051-1052.

하길, 대상들의 '어떻게'에 관한 심문의 목적은 그가 탐색하는 대상들의 함축적 형이상학을 함축적으로 통과시키는 것을 피하는 것이다.[9]

말년에 이르러 푸코는 자신의 철학적 방법을 '비판'으로, 그리고 영원한 본질에 관한 탐구에 맞서는 철학적 실천으로 정의하기 시작한다. 이 실천은 이론화에 이질적이며, 오늘날 가능한 것의 기술적 재조합과, 그 안에서 "우리의 존재, 행위 혹은 사유가 더 이상 행해지거나 생각되지 않을 가능성"을 발견하기 위한 것이다. 푸코의 철학적 실천은, 우연적인 방식으로 우리를 현재의 모습으로 만든 것에 대한 탐구에 바쳐진 것이다. 비트겐슈타인처럼, 푸코는 우리가 처한 상황에 대한 기술 — 자기 차례에 언어적 주제의 근본적 중요성을 전제하는 것 — 에 관심을 갖고, 전통 철학의 문제들과 더 이상 아무 관계가 없는, 무언가 실천적인 것을 지향한다. 그러나 우리는 동시에 이 전반적인 유사성 한 가운데서 어렴풋이 차이를 발견할 수 있다. 푸코는 이 핵심을 둘러싼 집게를 조인다. 이 집게의 손잡이는 계보학적 구성과 권력 관계의 분석인데, 이는 **기술의 정치적 효과**의 성격을 정확하게 규정하는 데 이른다.

2. 실천, 권력, 삶의 형식

명제, 언어 그리고 사유 일반의 숨겨진 본질을 탐구하는 폭정을 피

9 DE II, pp. 479-480.

하기 위해, 비트겐슈타인은 **언어 게임**의 개념을 도입하고, 이를 즉시 **삶의 형식**의 개념과 결부시킨다. 따라서 게임의 개념은 언어와 관련하여 개념적 순수성의 이상체로부터 벗어나기 위한 것, 즉 각각의 명제는 모든 경우에서 타당하고 한정된 형식을 내포해야 한다는 생각을 피하기 위한 것이다. 이는 동시에 언어 공간을 **실천**과 **사용**에, 즉 말하기가 주를 이루지만 다른 형식의 활동들과도 결코 분리될 수 없는 일군의 인간 활동들을 구성하는 것으로 개방시킨다. '언어 게임'은 다양한 규칙들과 조합들에 따라 낱말을 사용하는 실제적 과정과 "언어와 이것이 교착된 활동들에 의해 형성된 전체"[10]를 가리키기 위해 비트겐슈타인이 도입한 표현이다. 따라서 첫째로는 게임의 다수성, 이들만의 규칙들을 조합하고 재조합하는 이들 중 각각의 지시와 실천의 틀이 강조되고, 둘째로는 말하기가 사유하는 주권적 주체성에 의한 기호들의 사용 그 이상이지만, 활동, 인간 삶의 형식에 특징적인 내재적 활동이라는 사실이 강조된다. 다수성은 우리가 규칙들에 의해 이미 준비되고 지지된 것으로 관찰할 수 있는 다양한 언어 게임들뿐만 아니라, 게임들의 재조합 가능성과, 그런 게임들이 "단번에 영원히 고정되고 주어진 것"이 아니고 그 교체와 발명에 박자를 맞추는 시간적 사건에 잡혀 있다는 사실과도 관련된다. 그의 심리 철학과 외부/내부 극성의 비판과 일관성 있게, 비트겐슈타인은 시작부터 가능한 한 최대로 인간 본성과 사회 혹은 문화 사이의 엄격한 이분법을 피하려 하

10 RP, §23.

는 것으로 보인다. **삶의 형식**이라는 개념 자체가 통상적으로 대립되는 두 요소인 '삶'과 '형식'의 관계 맺기를 통해 이 노력을 증언하는 것으로 보인다. 왜냐하면 **삶**은 일반적으로 즉각적으로 자연적인 것, 즉 생물학적 소여들의 흐름으로 파악되는 반면에, **형식**이라는 낱말은 보통 어떤 전제된 실체 질서를 방해하는 인위적이고 사후적인 구축 과정을 가리키기 때문이다. 이 두 항을 묶는 표현을 만들어내는 것은 예비적 조치로서, 형식과 삶 사이의 분리를, 그리고 최초로 도래하여 인간학의 토대나 본질을 구성할 수 있을 것에 대한 결과적인 연구에 머무르는 형이상학적 다의성들을 논의의 장에서 제거하려는 것으로 보인다. 이 점에 관해, 푸코의 인간학적 접근법과의 유사성이 나에게는 검증 가능하고 중요한 것으로 보인다. 푸코는《앎의 의지》에서 이 문제를 인지한 것으로 보이는데, 이 책의 끝 무렵에서 가상의 독자를 내세워 이 문제에 대한 반론을 제시한다. 그 독자는 '성'의 역사화를 통해 생물성, 자연성, 생명성으로부터 도피하는 것을 비난한다. 이에 대한 푸코의 답은 지극히 확실하고, 내가 보기엔 비트겐슈타인의 표현과 정합적이다: 일차적 소여에 불과하며 그 위에 정상적이고 병리적인 성 형태가 기입될, '성'이라는 생물학적 사실을 우리는 받아들일 수 없다. 우리의 현재 삶의 형식을 보이기 위해선 오히려 생물성과 역사성(정치성 또한 마찬가지로)의 공존을 조사할 필요가 있다. 푸코 역시 자연적인 것과 사회적인 것 사이의 극성을 우회함으로써 인간의 존재 형식과 이들의 권력 관계를 구체적으로 분석하는 것으로 만족하는 것이 관건이었다. 소여들의 존재보다는 이들의 표상을, '우선'과

'다음', 기원과 파생에 따라 부정하는 것이 중요한 것이다. 이러한 전망에 함축된 정치적 무게는 분명하다. 단 한 번에 주어진 자연적 규범은 없고, 역사적으로 일관된 **삶의 형식**이 있다면, 각각의 자연화는 의심스러운 것이 될 것임에 틀림없다. 《탐구》에서 비트겐슈타인은 "하나의 언어를 떠올린다는 것은 하나의 삶의 형식을 떠올린다는 것을 의미한다"[11]고 적으며, 형식적이고 역사적으로 변화할 수 있으나 인식론적으로 불가결한 말하기와 인간 삶 사이의 일치라기보다는 파기할 수 없는 연결을 암시한다. 그리고 바로 언어와 삶의 형식 사이의 이 실천적이고 비순수한 결합이 "받아들여져야 하는 것, 소여", 즉 결정된 내용이나 인간성의 보편적이고 규범적인 정의가 아니라, 이론적으로 완전히 도달할 수 있는 것은 아닌, 삶의 형식의 복잡한 경험을 구성한다.

사실, 비트겐슈타인에 따르면 언어는 배워지지 않는다. 오히려 우리는 언어 사용에 따라 **훈육된다**. 공동체에 의해 공유된 언어 사용을 통해 활동을 전개하도록 훈육되는 것이다. 우리는 규칙을 맹목적으로 따르는데, 이는 우리가 그것을 의식적으로 선택하지 않았고, 그것이 주어진 순간과 주어진 공동체에서 우리의 삶의 형식에 속한다는 의미에서 그러하다. 사람들은 그들 사이에 참과 거짓에 관련된 문제나, 언어 게임의 사용을 통하여 지시를 내리거나 서비스를 요구하는 문제에 관해서는 분명히 의견의 일치를 보나, 이 일치는 결사結社하기를 의식적으로 결정한 주권적이고 독립적

[11] RP, Part II, XI, p. 316.

인 주체들 사이의 **합의도** 이성적 논의의 결과도 **아니다**. 그것은 오히려 결정된 삶의 형식 안에서의 실천적이고 언어적인 훈육의 결과이다. 훈육과 비합의적인 의견 일치의 이러한 관념 속에서 우리는 푸코가 **예속**과 **주체화**라고 부른 것과의 유사성을 발견할 수 있을 것이다.

푸코에 따르면, 담론적인 동시에 비담론적인 방식으로 다른 것들과의 관계에 들어가는 과정에서 주체는 선재先在하지 않는다. 주체는 바로 이 관계를 통해서 주체가 되기 때문이다. 푸코가 말하는 주체는 담론의 주체화 양식과 관련하여 위치를 차지하는 만큼 그 주체성을 그 몸과 몸짓으로부터 잘라내는 구체적인 권력 관계를 통해 관계에 들어간다.[12] 비트겐슈타인의 표현을 빌리자면, 주체는 실천-언어적 훈육 이전에는 주체가 아니고, 그것이 어떤 언어게임에 의해서도, 그를 식별 가능하고 따라서 가시적으로 만드는 어떤 공유된 제도나 관습에 의해서도 지지되지 않는다는 점에서 가시적인 존재를 갖지 않는다고 말할 수 있을 것이다. 주체는 그가 호명에 응답하는 것을 허용하는 언어에 의해 형성되기 이전엔, 언어적 사용과 권력의 실천 사이의 조합에 의해 형성된, 그리고 그러한 **훈육** 덕분에 그에게 제안된 존재의 장을 말하고 파고들 가능성이 없다. 다시 한 번 말하자면, 바로 삶의 형식의 공동체에서의 개별적 실존이 소여를 구성하는 것이지, 인간 본성의 몇몇 본질적인 특성들이 그러한 것이 아니다. 따라서 이것은 삶의 형식의 조형성

12 OC, §94.

에 관해 정치적인 상관관계, 즉 그 내부적 가능성들의 전시를 통해 변할 수 있는 상관관계를 포함하는 입장이다.

상식에 관한 명제들에 대한 비트겐슈타인의 성찰은 다음과 같은 견해의 연장선으로 간주될 수 있다. 그것은 바로 우리가 살고 있는 '세계의 상像'은 그 유효성을 합리적으로 분석한 결과가 아니라 그저 우리가 물려받은 '배경'이며, 그 배경의 중심에서 **합리성의 형식들**이 발동한다는 생각이다. 이러한 토대 위에서 사용된 명제들은 '순전히 실질적인 방식으로' 습득된 것이며, 시간의 흐름과 함께 변화한다는 점에서 그 어떤 식으로도 진정한 세상의 표상이 될 수 없다. 언어의 근거 없는 기반과 위와 같은 행위 방식들에 들어 있는 언어의 실제적인 기원 그리고 언어를 수용할 의무에 대한 비트겐슈타인의 주장은 규칙들의 변화에 관한 구체적 실천보다는 철학에 더욱 관련된 것으로 보인다. 우리가 역으로 상상해보기를, 여기서 말하는 규칙들의 변화란 '앞으로 나아가면서'라고 하는 게임 도중에 게임 규칙들이 변화하는 것으로 간주될 수 있다. 철학은 사고와 언어의 규칙들을 단번에 이해해내는 일반적인 이론을 세울 수 없다. 왜냐하면 이 규칙들은 자신들의 연약한 토대를 구성하며 일반적인 규칙들에 지배를 받지 않는 행위 방식과 실천, 제도, 습관들의 일시적인 흐름 속에 잠겨 있기 때문이다. 어쩌면 비트겐슈타인이 자신의 사유를 계승하고 보전하려고 하는 학파보다는 오히려 자신의 철학에서 유래했을지도 모르는 철학 외적 효과를, 즉 이 모든 질문들을 불필요한 것으로 만드는 생활 방식의 변화를 선호하는 것처럼 보이는 것도 이와 같은 이유에서일지 모른다.

어쨌든 간에 이러한 길을 너무나도 일찍 앞서가는 것이 이치에 맞는 것은 아니다. 정치적인 관점에서는 만약 우리가 비트겐슈타인의 철학으로 이어지는 통로들을 환기해낼 수 있다면, 바로 그곳에서 모호한 부분이나 닫히는 지점들까지도 모두 찾아낼 수 있다. 앞서 살펴보았듯이, 기술적 이상理想은 그림자에 가려져 보이지 않는 것이 아니며, 우리는 비트겐슈타인의 철학에서 삶의 형식의 수정 불가능한 특성을 언급하는 수많은 부분들을 찾아볼 수 있다. 《중요한 타자본*Big Typescript*》 중 **철학**에 관한 단락에서, 비트겐슈타인은 철학을 사회의 구조에 비유하는데, 이는 위의 내용과는 대조되는 듯 보인다. 규칙이란 존재하지 않고 모든 것이 혼란스러우며 그 기능이 불확실하고 거의 확인할 수 없는 사회가 일반적인 질서와 의견들을 명백하게 만들어줄 누군가를 필요로 하는 것처럼, 철학 또한 언어적 혼돈에 맞서 대항해야 하는 것이다. 여기서 실제의 표현되지 않은 가능성들을 드러내야 할 의무는 또 하나의 다른 의무에 자리를 내어주는 것으로 보인다. 그것은 바로 실제로 이미 존재하고 있는 질서, 구현되었으나 아직 불완전하며 더욱 잘 기능하기 위해서는 정확성을 보충함으로써 강화될 필요가 있는 질서를 분명하게 할 의무이다. 이와 유사한 모순은 비트겐슈타인이 **삶의 형식**이라는 개념을 사용하는 데 있어서도 발견된다. 그는 1937년에 적었던 어느 메모에서, 문제란 그것이 삶의 형식에 꼭 들어맞지 않는다는 사실에 근거해서만 존재하며, 문제를 해결하는 것은 삶의 형식에 들어맞는 생활방식을 채택함으로써만 가능하다고 주장한다. 그리고 이 글은 삶의 형식을 받아들이라는 호소는 전통 철학뿐만 아니라 새로운 철학 방식에 따라 변화해야 하는 생활방식과도 관계된 것일 수도 있다는 의혹을 낳게 된다. 그러나 여기서 검토하고자 하는 것은 비트겐슈타인의 철학이 물꼬를 틀 **수 있는** 논의의 특징들이다. 만약 막스 블랙의 의견에 따라 비트겐슈타인이 언어의 형식적이고 추상적인 개념화에서 더욱 실제적인 개념화로의 이행을 끝까지 지켜내지 못했다고 생각한다면, 우리는 고대의 지도 제작자들이 탐험되지 않은 곳들에 '미지의 땅'이라는 라벨을 붙이곤 했던 것처럼 삶의 형식의 개념을 탐험할 것이 아직 너무나도 많은 사실의 증거로 간주해야 한다. 바로 이점에서, 푸코와의 높은 유사성으로 보아, 우리는 방법론이나 몇몇 주제들에도 불구하고 **계보학**과 **권력관계 분석**이라는 두 개의 경로가 탐험을 계속할 수 있는 **하나의** 가능성을 표상할 수 있는가를 자문하게 된다. 《확실성에 관하여》(§310)에서 비트겐슈타인은 다음과 같은 한 장면을 기술한다. "스승과 제자. 제자는 그 어떠한 논쟁도 하려고 하지 않는다. 왜냐하면 그는 사물의 존재나 낱말의 의미 등에 대한 의심들을 표현함으로써 스승의 말을 끊임없이 가로막기 때문이다. 스승이 말하기를, '더 이상 내 말을 가로막지 말고 내가 시키는 대로 해라. 지금으로서 너의 의심들은 아무런 의미가 없으니.'"

이 장면은 푸코가 채택한 경로 또한 잘 설명해줄 수 있을 것 같다. 이 글을 푸코의 관점에서 생각하고자 한다면, 무엇보다도 스승과 제자 간의 관계가 역사적으로 어떻게 구성되어왔는지를 계보학적으로 기술하는 것으로 작업을 시작해야 할 것이다. 다음으로는 스승이 사용한 명령에 초점을 맞추고, 이어지는 장면에 등장하는 두 행위자들이 권력 관계 도표를 이루는 데 차지하고 있는 공간적 상황과 그 명령을 관계지어야 할 것이다. 그리고 마침내 여기서의 권력 관계는 교육의 담화적 실천을 통해 코드화된 지식을 전달하는 것과 밀접하게 연관되어 있다는 것, 그리고 오로지 이 둘 사이에 세워진 관계 안에서만 역할을 가지는 두 주체가 담화와 비교하여 차지하고 있는 위치와 허용된 또는 허용되지 않은 요구들의 규정과 관련하여 구체적인 규칙들을 소유하고 있다는 것을 고려해야 할 것이다. 특히 제자는 **예속된 자**로서의 고유한 정체성을 가진 하나의 주체가 된다. 반면 비트겐슈타인은 몇몇 명제들을 의심할 여지가 없는 것으로 암암리에 받아들이는 체계의 내부에서만 비로소 무언가에 대해 의심할 수 있다는 사실과 언어 학습이 가지는 실천적인 특성에 관심을 기울인다. 푸코는 지식과 권력이 복잡하게 얽혀 있는 관계 속에서 몇몇 명제들의 의심할 여지가 없이 확실한 특성을 거부한 것처럼, 권력의 행사를 분석하는 데 있어서 언어 학습의 이러한 특성을 거부한다.

우리가 살펴본 바에 따르면, 푸코는 모든 중복을 제거하고 형이상학적으로 지나친 부담이 없는 경험들의 우연성과 단일성을 지킬 수 있도록 그리고 현재 우리에게 있는 그대로 보이는 것의 불필요한 특성을 더욱 잘 취할 수 있기 위해, 계보학적 방법을 통해 영원한 불변의 대상들의 근원적인 역사화에 착수함으로써 이들을 회피하고자 한다. 계보학이란 끊어지고 부서지기 쉬운 특성들을 밝히는 현재 역사를 기술함으로써 태도를 취하기 위해 만들어진 역사적 지식이다. 권력 관계의 분석은 권력을 언제나 활동 중인 관계로 간주하기 위해, 누군가가 다른 것들을 희생하면서 소유하고 있는 어떤 실체나 특성을 권력으로부터 만들어내는 것을 피하고자 한다. 따라서 푸코에 따르면 권력은 항상 열려 있는 관계들의 묶음이며, 법칙을 벗어나는 더욱 세밀하고 일상적인 관계들에서만큼이나 핵심적인 심급들 또는 포괄적인 지배 속에서 권력을 찾으려고 해서는 안 된다. 왜냐하면 권력은 단지 부정적이기만 하지 않으며, 오히려 굉장히 생산적이고 긍정적이기 때문이다. 권력은 늘 '아니'라고 말하는 것이 아니라 태도와 신체적 행위, 개인의 정체성들을 유발하고 만들어내는 것이며, 주체에 대하여 외재성의 위치에 있지 않고, 주체를 길들이고 구속하며 담화적이고 언어적일 뿐만 아니라 물질적이기도 한 실재를 부여함으로써 주체를 구성한다. 푸코의 권력 분석을 이루는 주축들 중 하나는 권력과 지식의 상호 관련성에 대한 개념화이다. 지식은 언제나 어떤 인식 영역과 상관관계를 이루며, 반대로 이와 같이 형성된 지식에 의해 강화되고 수정되는, 권력 관계의 객관화된 준거들을 수면 위로 떠오르게 하는 순환적인 관계를 따른다. 지식과 권력은 두 개의 실체 또는 두 개의 일반적인 원칙이 아니라, 권력의 형식들과 주체성의 형식들을 이성과 관련시키는 합리성 형식들의 역사를 구성하는 분석표로부터 떼어낼 수 없는 용어들이다.

비트겐슈타인은 그의 철학 작업의 몇몇 부분들에 있어서 이러한 경로에 상당히 가깝게 다가간 듯 보이나, 이 부분들이란 말하자면 망가진 플랫폼에 걸쳐 있는 것이어서 비트겐슈타인은 마치 겁이라도 먹은 양 물러나 있는 모습이다. 그는 그 자체로 명백하고 상식에 대하여 절대적으로 진실한 명제들이 실제로는 우리가 살아가면서 사용하는 일상 언어에 대한 의심과 탐구들을 이루는 체계와, 그러한 단언들이 사람들에게 일정한 평안을 가져다주는 결과를 낳는다는 사실에 근거한 체계를 지탱하는, 단 한 번도 탐험되지 않은 전제들이라고 말하기에 이른다. 그리고 사람들은 이 평안을 기반으로 하여 그들이 선택하지 않았으나 그렇다고 해서 다시 문제로 삼고 싶어 하지도 않은 강물에 자신들의 삶이 흘러가도록 내버려두게 된다. 만약 비트겐슈타인의 이러한 생각을 분명하게 밝히고자 한다면, 우리는 그에게 있어서 진실이란 교육(다시 말하자면 지식의 훈련)을 통해 근거 없는 행위 방식 위에 세워졌다는 점에서 단 한 번도 의심을 받지 않았던 근거 없는 몇몇 전제들로 유지되는 일정한 형태의 일부를 이루는 것임을 확인하기에 이른다. 그리고 이러한 철학적 입장은 결국은 철학의 가장 대표적인 대상까지 침범하고 마는데, 그것은 바로 역사적으로 가변적이었던 다양한 합리성 형식들로 분해되는 이성이다. "인간에게 이성적이거나 비이성적으로 보이는 것은 변하기 쉽다. 한때는 그들에게 이성적으로 보이는 것이 다른 때에는 그렇지 않았을 수도 있고, 그 반대도 가능하다." 푸코에게 있어서 또한 마찬가지로, 이성적인 것은 지식과 권력 사이의 모든 상호 관계들과 함께 삶의 형식 안에 삽입되어 있는 것으로 보인다. 비트겐슈타인 입장에서는 자연적인 것으로 받아들여지는 근거 없는 명제들이 훼손되지 않을 때에만 몇몇 질문들을 표현할 수 있다는 것을 이해하는 것만이 이성적이라고 단언한다. 지식이 삶의 형식의 실천적 공동체라는 총체에

한 번 삽입되고 나면 이러저러한 실재적인 삶의 형식들을 가능한 한 가장 명확하게 기술하는 것이 가능해질지도 모른다. 이는 푸코가 비트겐슈타인의 전제들과 유사한 방법론적 전제들로부터 출발하여 지칠 줄 모르고 진행했던 작업이다.

권력과 관련하여 굉장히 유사한 또 다른 한 지점을 주목해볼 수 있다. 그것은 바로 비트겐슈타인이 누군가가 암암리에 받아들여진 이러한 명제들 중 하나를 믿지 못한다면 다른 이들은 그것을 일정 부분까지만 그에게 가르칠 수 있으나 어떤 순간에는 '일종의 설득'을 하기에 이를 것이라고 주장하는 대목이다. 위와 같은 단어의 전제들로 거슬러 올라가면, 우리는 푸코가 자신의 분석에서 핵심으로 두었던 권력과 지식의 복잡하게 얽힌 관계를 만나게 된다. 즉 지식은 본질적으로 합리적인 것을 받아들일 준비가 되어 있는 보편적인 의식의 합의를 야기하는 데 사용될 투명한 실체가 아니라, 권력에 근거하며 그 자체로 권력의 받침점으로서의 역할을 하는 갈등관계라는 것이다. 여기서 **설득**은 보상뿐만 아니라 비합리적인 철학을 나타내지 않는다. 철학에게는 결정권이 없으며, 우리는 실제적인 차이들을 보편적으로 유효한 하나의 단위로 환원함으로써 진정시키기를 바랄 수 없고, 철학은 권력 관계들과 관련된 입장들과 다양한 합리성 형식들로 자신을 분할함으로써 가로지르며 자신의 맥락을 형성하는 여러 실천들 및 행위 방식들과 복잡한 관계를 유지한다. 이는 푸코에게와 마찬가지로 비트겐슈타인에게 있어서, 회의주의나 반이성주의의 양식 이상으로서 스스로가 일방적으로 인지적이기를 바라는 관점이 풍부해지는 것을 의미한다.

그러나 이에 있어서도 비트겐슈타인은 암시를 하는 것에 그치고 있다. 이 논문에서도 그 이유를 찾으려 애쓰지는 않을 것이다. 정치철학적 관점에서 볼 때, 비트겐슈타인의 철학에 존재하는 정치적 함축들을, 다시 말해 그가 말했을 수도 있는 것과 다른 누군가가 공통적인 입장에서 말했던 것을 모아 기록하는 것이 훨씬 더 흥미로운 일이다.

계속해서 푸코를 통해 답하기 위해 우리는 마르쿠제가 보수주의와 관련해 비트겐슈타인에게 보낸 규탄을 예로 들 수 있을 것이다. 《일차원적 인간》에서 마르쿠제는 비트겐슈타인의 모순을 비난하고, 그 모순을 자신의 모든 철학에 적용되는 읽기 도표의 일부로 간주한다. 마르쿠제는 일상적인 것에 대한 호소에, 그리고 철학의 **유일한** 목적이라고는 우리의 눈앞에 이미 보이는 것을 분명하게 기술하는 것뿐이며 결국에는 상식의 담화를 영락없이 확인하게 될 활동으로 간주하는 생각에 경악하였다. 이러한 생각은 '사회의 언어 지배'로 보건대 상식의 담화가 이미 검열의 과정을 거쳤기 때문에, 지배적인 사회 질서를 위해 실용적으로 기능하지 못할 부분들은 제거되어 정화되었다는 것을 알아차리지 못한 것이다. 따라서 마르쿠제에게 치료법의 비유는 진보적인 산업 사회의 이데올로기 질서가 공포한 비정상적인 담화들과 행동들을 검열하고자 하는 위험한 의도의 표현이다. 그는 그러한 '실증적인 사고'에, 즉 경험적인 소여의 실증성 속에 박힌 사유에 다른 방식으로 사유할 필요, **외부**라는 완전히 다른 장소이자 존재론적인 영역으로부터만 실행되며 이성의 부정적인 권력에 의해 이미 주어진 것을 초월할 필요를 대립시킨다. 이러한 철학적 담화는 '진정한 실질에 도달하기 위하여 당장의 실질은 생략하고 만다.' 마르쿠제의 입장은 푸코라면 권력의 함축적인 형이상학이라고 명명했을 입장의 지지를 받는다. 즉 사회와 그 중심에서 권력을 점하고 있는 개인들은 그곳에서 말해지는 언어, 다시 말해 권력의 유연한 순수 외재성으로서 주체들의 의식의 내재성에 적용되는 언어를 지배한다. 이를 비판하기 위해서는 권력 관계들을 마주하고 우리가 몸담고 있는 하나의 다른 차원에 도달해야 한다. 이 차원은 그로부터 우리가 외부에서 권력과 맞서 싸우기 위하여 오로지 **차후에만** 권력에 맞서는 전장으로 들어갈 순수한 지식을 구상해낼 수 있을 다른 영역을 가리킨다. 마르쿠제의 이러한 비판은 그것이 뒤집고 싶어 했던 권력과 동일한 개념적 도구들을 사용하는 형이상학적 주장으로 남아있다. 이 도구들이란 주체의 절대적인 지배력, 권력과 지식 사이에서만큼이나 주체와 권력 사이에서 또한 절대적인 외재성, 그리고 순수성과 진실성의 이상을 말한다. 우리가 앞서 살펴보았던 것처럼, 외재성 개념에 대한 푸코의 비판은 더욱 진실되고 정직하다기보다는 보다 효과적인 방식으로 권력 관계들을 고려하는 데 사용되었다.

푸코의 생각은, 권력관계 안에 있는 삶의 형식에 대한 비판인 동시에, 주체들을 권력에 예속시켰던 과정 자체를 재구성함으로써만 저항하는 이들을 권력이 투여하는, 바로 그곳에 적용되는 저항과 같은 비판이다. 푸코에게 있어서 비판을 하는 것은 삶의 형식과 일상적 실천에서 분리된 활동이 아니다. 명료함을 추구하는 것도 비트겐슈타인에겐 매일의 행동 양식과 이질적인 무언가가 아니다.

다른 말로, 두 철학자에겐, 우리가 항시 눈앞에 보이는 것을 논의하기 위해 기원적이거나, 이전의 혹은 분리된 무언가에 의거하는 것은 필수적이지 않다. 그보다는 오히려 우리에게 자연적이며, 필연적이고 보편적인 것으로 제시된 것 **속에서** 새로운 길들을 열기를 모색해야 한다. 이를 스탠리 카벨은 다음과 같이 지지한 바 있다. "일상에 대한 비트겐슈타인식 호소 또는 '접근법'은 (실제) 일상을 환상과 최면 상태, 인위적인 것의 현장으로 간주한다. 실제는 마치 궁극적인 것의 모태라도 되는 듯 조건들을 내포하고 있다. 푸코에게 권력관계와 비트겐슈타인에게 언어는 예속만큼이나 주체화를, 종속만큼이나 자율을 위한 것이며, 실정實定적이지만 결코 포화되지도, 결론지어지지도 않고 정적靜的이지도 않은, 권력관계와 언어의 성격이 주어진 환경이다. 푸코는 항상 평범하고 경험적인 것으로 보이는 현상에서 우리에게 필연적이고 보편적인 것으로 제시된 것의 취약함에 집중했으며, 그 취약함 속에 존재하는 가능성들의 들끓음이 그저 경험적인 여건으로 보이는 것들에서 어떻게 기인하는지를 증명하는 데 열중하였다. 푸코에게 **바깥**(외부)은 언제나 허구이다. (이는 비트겐슈타인에게도 마찬가지다.) 비트겐슈타인과 푸코 사이의 유사성과 차이에 대한 핵심 논점은 다음과 같이 보인다. 주체는 (도덕적이고 정치적인) 규범과 그 형성을 안내하는 언어적 규칙의 망에 선재하지 않는다. (따라서 우리는 주체와 권력 사이의 근본적 외부성을 배제해야 한다.) 주체는 엄격한 방식으로 결정되지 않으며 자신에 대한, 이런 불투명성으로부터 주체에게 고유한 비판적 활동을 이용할 수 있다. 비트겐슈타인은 이 주제를 그의 언어 철학의 근저에 두었고, 반면에 푸코는 윤리적이고 정치적인 분석의 재정식화를 향한 반본질주의적 공통 전제들을 분명하게 방향 짓기를 시도했다.

고색창연하거나 참신한 형이상학을 세우지 않고도, 우리는 소여의 죄수로 머무르지 않으려 노력하고 첫 눈에 봐도 비생산적인 모순형용어법으로만 보일 수 있는 것을 찾는 철학적 활동을 실천할 수 있다. 우연 속의 초월과 (내재적) 세력장 내부의 변화 가능성의 (내재적) 조건은 언제나 아슬아슬하게 균형을 이루며, 그 우회할 수 없는 근저를 구성한다. 따라서 계보학과 권력 관계의 분석학은, 충실하면서도 혁신적인 연속의 하나로서 비트겐슈타인의 철학과 짝을 이룬다. 푸코의 철학은 비트겐슈타인이 정립한 철학 전통에 대한 비판적 대립으로부터, 그 전통을 따라 가다 결국에는 능가하는 방향으로 가며, 효율적인 정치를 찾는 철학의 도표를 구성할 수 있다. 아마도 본고의 서두에서 정식화한 일반적인 정치의 문제는 아주 열린 상태로 이제는 명시될 수 있을 것이다. 변화를 향한 윤리적이고 정치적인 실천들은, 우리가 이 실천들의 수행 주체를 기원적으로 분리하고 자동-투명성 위에 기초짓는 일 없이, 어떻게 서로 맞설 수 있는가? 이는 다양한 형태로 실체주의적인 사유로부터 독립적일 정치철학의 실천적 성격에 대한 문제이다.

7장
푸코와 비트겐슈타인에서의 개념들의 실천

오라치오 이레라트(Orazio Irrerat)

루트비히 비트겐슈타인과 미셸 푸코의 사유는 '표상주의적' 인식 모델에 맞서 진리의 '구성주의적' 개념화를 가치 있게 만들기 위한 이들 각각의 노력에 따라 이미 서로 가까워졌다. 표면적으로는 불가능해 보이지만, 두 철학자의 사유가 이렇게 가까워질 수 있었던 데에는 이언 해킹이나 아널드 데이비슨과 같은 영국 출신 분석철학자들의 노력이 있었다. 이들은 푸코의 역사적 방법론을 철학적 성찰의 분석적 방식과 결합시키기를 시도함으로써 하나의 새로운 연구 영역을 개시했다. 이처럼 분석철학과 유럽 대륙철학 사이의 만남이 가능함을 검증하기 위한 특권적 논의 공간이 열린 것이다.

두 철학자의 사유의 영토들을 모으는 길잡이는 하나의 관념적 토대 위에 전개되는 것으로 보인다. 인식론적 개념들은 결정된 역사적 깊이를 분명히 하고 이들의 의미론적이고 방법론적인 가치로부터, 이들이 존재론적으로 자율적이고 자생적인 대상들로 여겨질 때 이들을 자극하는 함축적인 고정성을 덜어주는 분석에 적합할 수 있다는 관념 말이다. 푸코와 비트겐슈타인의 독자들은 정신적 표상과 사실 및 대상 세계 사이의 대응이, 외부 세계의 표상들의 무대인 동시에 이 표상들을 해독할 수 있는 심급일 어떤 정신에 의해 보장될 것이라는 실재론적 접근법들을 계속해서 논의한다. 로티의 유명한 은유를 빌려 말하자면, 정신의 '반성적 본질'은, 외부 세계가 그 자체 안에서 반영됨을 허용할 뿐만 아니라 동일한 계기에 의해 그 인식을 보장한다. 인식을 초월적이고 '고독한' 주체에 완전히 반역사적인 방식으로 기초하는 관념론적 접근법들, 특히 현상학조차도 푸코와 비트겐슈타인의 철학을 구성하는 반토대주의적 비약에 의해 해체되었다. 이러한 종류의 접근법들은 의식이 자신을 구성하는 역사적 절차들의 총체와 화자 공동체를 지각함으로써 배척한다고 간주하여 비판을 받는다. 따라서 두 철학자의 작업은 언제라도 베일이 벗겨질 수 있는 근원적인 외재성의 허구에 또는 역사를 가지고 있지 않은 고독한 의식의 존재론적 모험 이야기들에 반대하기를 자처한다.

'구성주의적' 모델에 대한 비판의 관점에서 비트겐슈타인과 푸코를 비교하려는 시도는 영국 출신의 번역가들이 두 대륙 사이의 철학적 틈새를 메우기 위해 또는 비트겐슈타인에서 출발하여 푸코에 이를 수 있는 방법을 찾기 위해 특별히 선택했던 방법들 중 하나였던 것으로 보인다. 이와 같은 여정은 무엇보다도 언어에 대한, 더 정확하게 말하자면 '언어 게임'에 대한 개념을 포함하는 존재론을 중요시하는 방향으로 유도된다. 이러한 개념은 마침내 존재론적 문제들을 분석하는 데 깊이를 더해준다. 그러나 이 문제들은 본질적으로는 존재론적이나, 부차적으로는 개념들을 그것들의 실제 사용에 대한 우연적이고 개별적인 관점에서, 달리 말하면 사회집단의 차원에서 조명하는 '게임'이라는 변화 속에서 진리의 개념을 세움으로써 그 평판을 위태롭게 만들고 만다. 이렇게 비트겐슈타인에서 출발하여 푸코에 이르는 여정이 흥미로워 보이기는 하지만, 여기서 우리는 다음과 같은 두 가지 이유에서 그 방향을 뒤집고자 한다. 먼저 원래의 여정은 이미 충분히 많은 사람들에 의해 선택되어 중요한 결과물들을 만들어낸 것으로 보인다. 따라서 우리는 그 방향을 뒤집음으로써, 즉 푸코에서 출발하여 비트겐슈타인에게로 향함으로써, 지금까지 알려지지 않은 새로운 수렴점들을 밝혀내기를 바랄 수 있다. 다음으로 우리는 역행함으로써 본래의 여정을 다른 관점에서 살펴보게 될 것이며, 이러한 논의를 통해 두 철학자의 작업에서 수행적인 차원을 활성화시켜볼 것이다.

우리가 제기하는 문제들 전체를 묶을 **주조**主調는 다음과 같다. 두 철학자를 독해하는 데 참여하는 독자에겐 어떤 종류의 태도가 요구되는가? 달리 말하여, 푸코와 비트겐슈타인의 담론들의 수행적 효과는 어떻게 구성되는가? 비판과 담론적 실천의, 혹은 언어게임의 인식론적 차원이 일단 획득되고 극복되고 나면, 우리가 이론적 수준에서 직면한 문제들을 실천적 수준으로 뒤집는 것을 확인할 관점은 어떻게 떠오를 수 있는가?

결국 이러한 질문들은 동시에 여러 방향으로 전개되는 비판적 심급을 전적으로 받아들이는 주체화의 윤리적 측면을 발동시킬 것이다. 따라서 두 철학자의 사유의 수행적 역량과 이 역량이 주체의 구성에 끼치는 영향을 명백하게 밝히는 작업부터 시작해야 한다. 이때 주체는 진정한 이해를 보장하거나 구성하고 또는 아주 오래전에 세워진 진리 영역들에 관여할 수 있는 본질적인 토대로서 간주되지 않는다. 이는 오히려 진리에 대한 몇몇 담화들이 역사의 우연적인 차원에서 주체들을 변형하고 소외시키며 형상을 부여하는 절차들을 역사적으로 기술한 것의 결과에 부합할 것이다. 실제로 어떤 담화들은 진실을 말하는 것으로부터 주체화를 구성하곤 한다.

푸코는 말년에 남긴 저술들 중 하나에서, 자신의 작업 전체를 '사유 비판의 역사'라고 언급한다. 이 접근법으로부터, 이런 저런 형태의 인식에 합당한 주체가 되기 위해 우리가 어떤 입장을 취해야 하는가를 결정하고, 무언가에 인식 가능한 대상이 될 수 있는 조건들을 정의할 필연성이 나온다. 매번 획득된 인식에 '적절한 것으로 간주되는 그 자신의 몫이 어떤 단절의 절차에 굴복할 수 있었는지'를 묻는 것이다. 우리는 이처럼 푸코 사유의 이론적이고 실천적인 주요 쟁점들 중 하나에 도달한다. 비트겐슈타인의 작업에 직접적인 진입로를 제공하는, '진리 게임'의 쟁점 말이다. 푸코는 이렇게 단언한다. "이 객체화와 주체화는 상호 독립적이지 않다. 이들의 상호 발전과 상호 연계로부터 우리가 '진리 게임'이라 부를 수 있을 것이 탄생한다. 즉 참인 것들의 발견이 아니라, 어떤 것들에 관해서 한 주체가 말할 수 있는 것은 참과 거짓의 질문에 속한다는 규칙들 말이다."

비트겐슈타인은 《확실성에 관하여》에서, 특히 그가 "어떤 경험 명제들의 **참**은 우리의 준거 체계에 속한다"[1]고 단언할 때, 명백하고 확고부동한 토대를 지지할 진리의 일체성을 불안정하게 하기 위해 푸코와 동일한 참여의식을 가지고, 예를 들면 무어의 자명한 이치들과 싸운다. 우리가 우리 언어 안에서 방향을 잡는 방식은 엄격한 의미에서 실재 혹은 본질의 개념이 없이 통해야 한다. "왜냐하면 한 문장을 이해한다는 것은 말하자면 그 문장 밖의 실재를 가리키기 때문이다. 반면 우리는 '한 문장을 이해한다는 것은 그 내용을 파악하는 것을 의미하며, 문장의 내용은 문장 **안에** 있다'고 말할 수 있을 것이다."[2] 결국 우리의 지시 체계를 표상하고, 최소한의 언어 게임에서 행해진 사용으로부터 파롤이나 명제의 의미를 결정하는 문법조차도 형이상학의 무거운 짐에서 해방된다는 조건에서만 올바르게 개념화될 수 있다. "문법은 어떤 실재에도 빚을 지지 않는다. 문법적 규칙들은 의미를 결정(구성)할 뿐이다. 따라서 규칙들은 의미에 책임을 지지 않고, 이런 한에서 자의적이다."[3] 그래서 "**본질**에 관해 말하는 이는 협약을 확인할 뿐이다."[4] 이러한 경로를 따라 "우리는 이 낱말을 다음과 같이 설명할 수 있다: 어떤 낱말의 의미는 그 언어에서 그 낱말의 쓰임이다."[5]

1 OC, §83.

2 BEB, p. 258.

3 GP, I, x, §133b, p. 191.

4 루트비히 비트겐슈타인,《수학의 기초에 관한 고찰*Remarques sur les fondements des mathematiques*》(이하RFM), Gallimard, 1983, I, §74, p. 61.

5 RP, §43.

푸코의 작업에서, 이런 수준의 담론은 고고학적 방법에 의해 보다 특별히 문제화된다. 이 방법은 과학이 그만의 담론 질서를 합법화하는 실증적 진리들을 반박한다. 그것은 이러한 근본적 진리들의 발견의 운동을 기술할 수 있는 회고적인 해석을 완성한다. 따라서 진리의 개념은 참과 거짓을 분리하고, 담론 장치의 현 상태를 좌우하는 언표들을 탐지하는 것을 기능으로 하는 움직이는 문턱이다. 이런 조건에서, 진리는 순수하고도 완전한 과학적 의식의 역사의 운동을 비밀리에 지도하는 것을 가리킬 수 있을 지식의 질서로부터 오류들의 역사를 세우는 것을 더 이상 담당하지 않는다. 고고학적 방법은 그로부터 결정적이며 과학적이고 참인 것으로 수립된 언표들의 실정성을 역광으로 봐야하는 비판적 거리두기 작업을 요구한다. 어떤 언표들의 진리상의 지위를 의문시하는 것뿐만 아니라 이들의 정합성을 살피는 것이다. 이는 가시성과 확실성의 체제에서 어떤 역사적 계기에 일군의 요소와 관계의 조직을 보장하는 내부 질서를 해체하는 것이다. 그 안에서 완전히 우연적인 모든 것인, 지식의 분절은 맥락과는 무관한 이 동일한 개념들의 가시적 정체성에 대해서보다는 언표나 실천의 의미를 구성하는 것에 대해 문제를 제기한다. 푸코의 독자들은 푸코가 '사용의 장' 그리고 '언표의 안정화 장'에 대해 말하는《지식의 고고학》에 특히 의지한다. 따라서 독자의 관심은 언표의 정체성에 부과된 조건들 전체에 쏠리는데, 이는 "그 한가운데에 언표가 나타나는 나머지 언표들의 전체에 의한, 우리가 이들을 사용하거나 응용할 수 있는 영역에 의한, 언표가 해야 하는 역할이나 기능들에 의한" 것이다.

"지구가 둥글다거나 종들이 진화한다는 단언은 코페르니쿠스나 다윈 이전과 이후에 동일한 언표를 구성하지 않는다. 마찬가지로 아주 단순한 정식화들에 대해서도, 낱말들의 의미가 변했다는 것이 아니다. 변화한 것은, 이러한 단언들이 다른 명제들과 맺는 관계, 이들의 사용과 재투여의 조건, 우리가 참조할 수 있는 경험과 가능한 검증, 풀어야 할 문제의 장이다."[6]

이와 동일한 방식으로, 비트겐슈타인은 《탐구》에서 단언한다. "아이들이 기차놀이를 할 때, 그들의 놀이는 기차에 대한 그들의 앎과 연결되어 있다. 그렇지만 기차를 모르는 어떤 부족의 아이들이 다른 사람들에게서 기차놀이를 배우고, 그것이 어떤 것에 대한 모방임을 모른 채 그 놀이를 할 수 있을 것이다. 우리는 그 놀이가 그 아이들에게 **의미하는** 바는 우리에게 **의미하는** 바와 다르다고 말할 수 있을 것이다."[7] 주목할 만하게 중요한 이 비트겐슈타인의 인용에서, 그 사용의 수평적이고 사회적인 차원에서 기의나 실천이 가지는 의미의 문제뿐만 아니라, 이러한 실천의 기원의 깊이라는 문제가 제시되고 있다. 그 두 번째 차원은 우리가 언어에서 방향을 잡는 방식에 영향을 미치는 의미론적 차원의 건드릴 수 없는 특성만을 가리키는 것이 아니다. 그것은 우리가 아는 체하지만 사실은 알지 못하는 것, 즉 우리가 그것을 왜 알고 있고 왜 배웠는지를 자문조차 하지 않은 채 행하는 것이 우리가 따르게 되는 것이라는 사실 또한 지적하고 있다. 이렇게 인지적 질서에 선행하고 이를 가능

6 AS, p. 136.

7 RP, §282.

케 하는 강제들로 짜인 질서와 인간학적 장치의 관점이 열리게 된다. 문법은 참과 거짓의 게임의 가능성의 조건들을 거부하지만, 그렇다고 그 참됨이나 거짓됨을 걱정할 필요는 없으며, 언어를 '하나의 삶의 형식'으로 생각할 가능성을 여는 것이 문법이라는 사실을 주목하는 것이 훨씬 더 중요하다. 이는 언어와 그 사용의 막대한 일체가 이론적 절차에 따라 사용되거나 이해될 것이 아니라, 이 삶의 형식에 처한 이들에게 **불투명한** 상태인 실천에 의한 구축, 적용 기술 그리고 행위가 이전에는 인지적이고 관념적인 질서에 기입되지 않았기 때문에 존재함을 함축한다. 따라서 다양한 사용들은 이해하기보다는 받아들여야 할 것들이다. 달리 말하여, 그것들은 자칭 비역사적 확실함의 빛을 통해 침투하거나 투명해지는 것이 아니다. 이러한 인지 이전의 질서는 문화와 언어가 함께 뿌리를 내리고 있는 삶의 형식의 조직에 상응한다. "'그렇다면 당신은 사람들 사이의 일치가 무엇이 옳고 무엇이 틀리는지를 결정한다는 말인가?' 무엇이 옳고 무엇이 틀리는가 하는 것은 사람들이 **말하는** 것이다. 그리고 사람들이 일치하는 것은 그들의 **언어** 속에서다. 이것은 의견에서의 일치가 아니라, 삶의 형식에서의 일치이다."[8]

소여와 불가피한 우연 그리고 삶의 자의적 성격에 직면하여, 우리는 절차적 이성의 실패를 받아들이길 결심할 수 있을 뿐이다. 이 이성은 항상 사후적 정당화를 찾아 그것이 기초하고 있는 규칙과 관련하여, 결국 끝없는 설명의 소용돌이에 빠지고 만다. 그런데 비

[8] RP, §241.

트겐슈타인은 이 악무한惡無限을 끝내길 원한다. 그는 규칙의 존중과 그 적용 각각의 정당화 사이의 격차에 정지점을 놓는다. "'나는 어떻게 규칙을 따를 수 있는가?' — 이것이 원인에 관한 질문이 아니라면, 내가 그 규칙에 따라 **그렇게** 행위하는 일에 대한 정당화와 관련한 질문이다. 내 근거들이 바닥났을 때 나는 암반에 도달한 것이고, 내 삽은 휘어져 있다. 그때 나는 다음과 같이 말하는 경향이 있다: '나는 다만 이렇게 하고 있을 뿐'이다."[9] 그리고 다른 곳에서 비트겐슈타인은 덧붙이기를 "'당신이 그에게 장식 무늬의 열을 계속하는 것을 어떻게 가르치든 — 그는 자기 스스로 계속해야 하는 방법을 어떻게 **알** 수 있는가?' — 글쎄, **나는** 어떻게 아는가? — 만일 그것이 '나는 이유들을 가지고 있는가?'를 의미한다면 대답은 다음과 같다. '내 이유들은 곧 바닥이 날 것이다. 그러면 나는 이유들 없이 행위할 것이다.'"[10] 이성에 의한 규칙의 정당화와 규칙에 고유한 무한한 절차성 사이의 분리는 훈육의 동역학에 함축되어 있는 질서와 복종의 수행성에 의해 수행된다. 이 주제는 우리의 논의에 기초가 된다. "내가 두려워하는 누군가가 내게 어떤 수열을 계속하라고 명령한다면, 나는 재빠르게 조금도 틀림없이 행위를 할 것이며, 그렇게 해야 할 이유가 없다는 것은 내게 문제가 되지 않는다."[11] "규칙 따르기는 명령을 따르는 일과 유사하다. 우리는 그렇게 하도록 훈련되어 있고, 특정한 방식으로 명령에 반응한다.

[9] RP, §217.

[10] RP, §211.

[11] RP, §212.

그러나 명령과 훈련에 대해 어떤 사람은 **이렇게**, 또 어떤 사람은 **저렇게** 반응한다면 어떨까? 그 경우에는 누가 맞는가?" 우리가 토대를 놓는 이유나 기원의 깊은 곳을 향해 언어 아래로 내려갈 수는 없을지라도, 그럼에도 우리는 이 표면에 부동으로 머무르며 정박점, 어떻게 언어가 행위, 즉 투쟁에 의해 다듬어졌는지 드러내는 구조를 한 눈에 볼 수 있다. 이처럼 이 표면의 숨겨진 면이 니체적 방식으로 언어를 게임으로서 구성하는 전략적 잠재성을 설명하는 것으로 보인다.

이러한 주제는 미셸 푸코의 작업에서 고고학적 방법에서 계보학적 방법으로의 이행을 이해하는 데 중요하다. 계보학적 방법은 참된 담론의 원형, 즉 권력 장치들을 발견하는 것을 목적으로 한다. 푸코가 "힘에의 의지"라 부르는, 이름 없는 동시에 집단적인 이 차원은 — 우리가 앞서 인용된 비트겐슈타인의 발췌문들에서 본 것처럼 '규칙을 따르는 것은 명령에 복종하거나 결정을 내리는 것과 같다'고 언표되는 결론 앞에서 정당화의 연쇄를 멈추는 것으로 표현되는데 — 이를 주체의 고유한 진리의 원형으로 지각하는 관계 속에서 주체가 진리와 맺는 관계를 낳을 수 있는 세력 관계들에 의해 항시 결정되는 게임 안으로 진리의 탐색이라는 근본적인 필요를 끼워 넣는 것을 가능하게 한다. 따라서 계보학적 접근법은 진리가 생산, 의식儀式, 규제된 절차, 위기, 전쟁 등의 결과임을 암시한다. 이처럼 담론적 질서와 이를 지지하는 진리는 내부적 정합성뿐만 아니라, 정확한 정황과 계기에 따라 올바르게 실행된 의식, 권력 장치, 일정 정도의 훈육에 의존하는 것이다. 푸코에게, 진리

체계는 일정한 실천들에 따라 형성되고 완성된 몸과 행위에 적용된다. 이렇게 토대 없는 무언가가 그것이 산출하는 결과들에 따라 실재와 안정성을 획득하게 되는 것이다. 정신병, 비행, 시장, 성 혹은 국가는 그 자체로 존재하지 않는다. '계보학적 접근법은 이들을, 전략적으로 놓인 투쟁과 대립에 의해 구성된 수직적 차원에 따라, 이들의 담론적 질서의 분절에 의해 가정된 이들의 보편성을 논의하는 일군의 질서 잡힌 실천들로 해체한다.'

동일한 방식으로, 인간 존재를 구조화하는 실천, 사용 그리고 동역학에 대한 비트겐슈타인의 지시는 언어 안에서 이름 없는 진정한 훈육에 따라 **삶의 형식들** Lebensformen의 구성에서 도구, 조건, 요소, 관심, 개인 관계와 더불어 사회적·법적·정치적 제도의 공유에 의해 그 성격이 규정되는 장을 연다. 바로 이러한 방대한 맥락에서 자연과 문화의 뒤얽힘, 생물학적이고 사회적인 사실들의 뒤얽힘이 검증되는 것이다.

사실, 모든 이들이 비트겐슈타인의 분석이 어떤 역사적 측면도 제시하지 않으며, 이러한 분석들은 어느 정도 **보편적이고도 영원한 것의 관점에서** 읽힐 수 있음을 알고 있다. 그러나 우리는 현재, 실제, 그리고 비트겐슈타인이 몸을 담고 있던 순간에서는 그의 저작에 남긴 흔적의 중요성을 무시할 수 없다. 그리고 우리는 윤리적 심급의 운반자로 드러나는 수행적 반향들을 명확하게 구분하기 위하여 바로 이 흔적들을 찾을 준비가 되어 있다. 《탐구》의 머리말에서, 비트겐슈타인의 '번민하는' 성격에 특징적인 의문과 겸손 사이의 중간 길에는 모든 것에도 불구하고 의미심장한, 시대와 사유 일반의 비판적 연습 사이의 관계가 나타나 있다. "이 연구의 빈약함과 이 시대의 암울함 속에서, 이 연구가 몇몇 사람들의 머리에 빛을 던져주는 일이 불가능하지는 않다. 하지만 물론 그럴 것 같지는 않다. 나는 내 글로 인해 다른 사람들이 스스로 생각하는 수고를 덜게 되는 일은 없었으면 한다. 오히려 가능하다면 내 글이 누군가의 생각을 자극하는 촉매제가 되기를 바란다."[12] 스탠리 카벨은 일상 언어만큼이나 우리 습관에 깊게 뿌리를 내린 저 '문법적 환상'들이 우리를 철학에서 우리에게 '멀리, 유형지에 있는 것처럼' 보이는 낱말들에 어떻게 대립시키는지를 적절하게 주목했다.

여기서 '우리'는 철학자 공동체에 대한, 심지어는 언어 게임 전체에 대한 거리두기를 함축한다. 이 '우리'는 낱말들을 그들의 일상적 사용으로 데려가는führen 데 있는 비판적 자세를 작동시킨다. 왜냐하면 "철학은 어떤 식으로든 언어의 실제 쓰임에 간섭해서는 안 된다. 철학은 결국 그것을 기술할 수 있을 뿐이다. 철학은 언어의 실제 쓰임을 정당화할 수 없기 때문이다. 철학은 모든 것을 있는 그대로 둔다"는 것이 실제로 명백하기 때문이다. 푸코에 대해서도 사정은 마찬가지임을 주목하자. 보편자들을 구성하는 권력의 실천들 전체로 보편자들을 용해시키려는 시도는 특정 관계들의 일상적 사용으로의 복귀와 일치한다. 푸코는 비트겐슈타인이 그 대표 주자들 중 한 명인 분석철학을 가리켜 "영미 분석철학은 언어의 존재나 랑그의 깊은 구조들에 대하여 성찰하는 일을 자임

12 RP, 서문.

하지 않는다. 그것은 우리가 다양한 형태의 담론에서 랑그에 행하는 일상적 사용에 대해 성찰한다. 영미 분석철학에선, 우리가 사물을 말하는 방식으로부터 사유의 비판적 분석을 하는 것이 중요하다. 우리는 권력 관계에서 일상적으로 일어나는 일을 분석하는 것을 임무로 할 철학, 어떤 것들이 이 권력 관계의 형식이며, 관건이고 목적인지를 보여주길 시도할 철학을 동일한 방식으로 상상할 수 있을 것"이라고 단언했다.[13]

그런데 푸코가 비난한 인간학적 보편자에의 은둔은 우리가 새로운 이론이나 새로운 진리를 준비하기보다는 우리를 설명의 차원에서 단순 기술로 데려가는 '치료법'을 구축하도록 강제한다. 따라서 이러한 치료법은 보는 방식이나 관례적인 행위를 동일한 수준에 놓아서는 안 된다. 그렇다면 더 이상 하나에서 다른 하나를 유도하는 것이 아니라 이들에게 모든 규범화 전망을 넘어선 존재 가능성을 인정하며 이들을 연결시키는 것이 중요하다. 간단히 말해, 정확히 푸코의 경우처럼 '우리 존재에 대해서도 사정은 마찬가지다'라는 관점인 것이다. 우리를 특수하고 맥락적인 삶의 형식으로 구성하는 진리를 말할 권리를 제 것으로 삼는 관점인 것이다. 그러나 언어적일 뿐만 아니라 인간학적인 오류들을 교정할 수 있는 치료법은 무엇으로 구성되는가? 이유와 원인 사이의 구별은 아마도 이 비판적 자세의 수행적 차원을 포착하기에는 더 이상 충분치 않을 것이다. 우리는 역사적 설명에 대한 비트겐슈타인의 고찰

13 DE III, p. 541.

로부터 출발하려 할 것이다. "역사적 설명, 진화의 가설 형태를 취하는 설명은 개관적으로 소여들을 모으는 하나의 방식일 뿐이다. 소여들을 그들의 상호 관계에서 고려하고 시간 속에서 이들의 진화에 관한 가설을 세우지 않고 이들을 종합 일람표에 모으는 것 또한 아주 가능하다."[14]

이 가능성은 **개관적인 표상**übersichtliche Darstellung의 개념이 우리가 인식하는 사실들의 전체성을 제시하는 수준에서 띠는 극단적인 중요성에 달려 있다. "우리는 통찰적 묘사를 통해서, '연관성을 볼' 수 있는 정확히 그런 종류의 이해를 얻을 수 있다. 그러므로 **연결고리**들을 발견하고 만들어내는 일이 중요하다. 통찰적 묘사의 개념은 우리에게 근본적으로 중요한 것이다. 그것은 우리가 사물들을 보는 방식, 즉 우리가 표상하는 형태를 가리킨다." '형태학적 방법'은 우리의 잘못을 깨닫기 위해 이런 방식으로 사물을 바라보는 것을 기초한다. 그것은 자연 현상의 기술에 관한 괴테의 생각과 역사적 인식에 대한 슈펭글러의 생각을 발전시킨 것이다. 그것은 근저에 있는 것에 기초적 성격을 할당할 표면/깊이 구분을 철폐하기에 이르는 한편, 표면의 개별적 실현은 우연적 예화일 뿐일 것이다. 바로 이러한 형태학적 방법을 통해 비트겐슈타인은 언어와 문법을 구별하기에 이른다. 이 덕분에 그 정확한 비교 전략의 응용에 따라, 우리는 다른 언어 게임들과 특별한 삶의 형식들 사이에 존재하는 다른 관계들을 보이는 데 성공한다. 형태학적 방법은 이처럼

[14] RGB, p. 21.

(이 언어 게임에서 탐지할 수 있는) 각각의 요소가 다른 것들과 관계해서 차지하는 자리를 보여준다. 그러면 일체가 이 관계들의 명확한 전망으로부터 떨어져 나온다. 형태학적 접근법의 근본적 획득은 우리와 다른 이들의 삶의 형식에 대한 인식들을 동일한 수준에 놓는 데 있는 것인데, 그렇다고 해서 이 수준 맞추기가 **우리가 사물들을 바라보는 특별한 방식**, 즉 우리가 우리와 다른 것을 아는 방식을 표상한다는 것을 시야에서 놓치는 것은 아니다. 따라서 우리는 우리 삶의 형식과 다른 이들에 대한 우리 관점의 고찰을 우리 인식 기준의 맥락화와 상대화에 의해 정식화할 수 있다. "우리는 거듭해서 사태의 본성을 항상 쫓아가고 있다고 생각하지만, 사실 우리는 사태를 바라보는 형식을 따라가고 있을 뿐이다."[15]

따라서 우리 삶의 형식(그리고 이를 가로지르는 언어 게임들)은 우리에게 유일한 가능성인 동시에, 우리가 상상할 수 있는 수많은 가능한 삶의 형식들의 하나로서 나타난다. 이때 상상력은 이 형태학적 소질에서 중심 역할을 획득한다. 우리의 것과 다른 언어 게임과 삶의 형식을 고안할 능력은 우리만의 생활양식을 그것이 산출하는 대조 덕분에 우리가 보다 잘 이해할 수 있도록 한다. 상상력의 기능은 인식론적일 뿐만 아니라 윤리적인 반향을 갖는다. 그것은 이 소론의 첫 부분에서 우리가 상기한 수행적 역전을 가능하게 한다. 이 수행적 역전은 인식의 주체뿐만이 아니라 오류와 문법적 환영의 병으로 고통 받는 주체를 가리킨다. 이미 항상 아프고 언제나

15 RP, §114.

치료법의 길목에서 이것이 낱말들을 그들의 **고향**Heimat으로 되돌리는 것을 허가할 수 있게 말이다. 왜냐하면, 타자성의 고안은 ― 이것은 결코 절대적이지 않으며 우리가 사물을 보는 방식에 항상 상대적이지만 ― 이 주체가 **자신에 대해 작업을 하고** 그만의 사는 방식에 관해 거리를 두도록 해야 할 것이기 때문이다. 이런 의미에서, 비트겐슈타인이 전하는 인간학적 고찰들은 상상적 활동의 윤리적 가치가, 인류학자에게 그 기원의 문화와 부족 사이에 존속하는 실제적 거리가 수행하는 역할과 유사함을 이해하기 위해 결정적인 것으로 드러난다.

언어 게임과 삶의 형식의 고안이라는 우회로에서, 진정한 **자기에의 배려**를 나타내야 하는 주체는 ― 여기서는 의도적으로 푸코의 개념들과 뒤섞었다 ― 그가 속한 공동체로부터 일종의 거리두기를 **그 자신에게 산출해야** 한다. 이는 그를 죄수로 만들거나 스스로 다른 삶의 형식들을 가두는 진리, 개념 그리고 이미지로부터 해방될 가능성을 제공하는 보다 넓은 다른 관점에 도달하도록 허용하는 것이다. 인식론에서 윤리학으로의 수행적 역전은, 정확히 푸코의 경우에서 그러했듯이, 의미와 자율성의 출혈이 있었던 이 일상의 차원을 주체성이 정복할 때까지 그 주체성을 그 자신에 대한 작업으로 인도하는 비판적인 긴장감을 낳는다. 그러나 우리는 오로지 이 역전에 제한돼서는 안 된다. 우리는《탐구》를 읽기 시작했을 때, 진리 또는 그를 파기하는 이미지에 갇혀 있는 자의 출발 상황이 '**식별되지 않음**sich auskennen nicht'에 주목했었다. 이러한 자기 상실의 상태, 이 **실천 밖에 있음**이 다른 관점에서 윤리학이 성립되기 위한 필요조건이 될 수 있었다. 공유된 언어적 기준들에 기초를 둔 행동의 일상적 차원은 **비판적 거리두기**라는 의식적 행위 덕분에 재정복될 수 있었다.

거리두기의 두 상황 사이엔 차이가 있다. 하나는 우리에게 부과된 혈통, 아마도 그 정상적 사용에서 언어가 속한 혈통의 무게에 대응한다. 간단히 말하여, 우리에게 돌아오는 것은 채권뿐만 아니라 채무에도 한정되는 차원과 관계한다. 반대로 다른 차원은 우리 자신에 대한 작업, 비판적 작업, 푸코가 스토아학파에 관하여 세네카가 말한 "하향적 시각"으로 혹은 우리가 마르쿠스 아우렐리우스에게서 재발견하는 것과 같은,[16] 대상이 시간과 그 질료적 구성 요소들 속에서 해체되는 것에 따른 표상의 통제로서 언급하는 자기의 기술을 상기시키는 상상력의 수련에 대응한다. 관점을 바꾸는 것을 목표로 하는 이 활동은 진정한 자기에의 배려를 조직하기를 원한다. 따라서 이는 개념과 이미지를 실천에 삽입하는 데 한하는 것이 아니라, 그것이 이들을 고안하고, 구축하고, 산출하고, 가까이 하고, 상상력의 도움으로 해체한다는 의미에서 실천하는 것이다.

따라서 거꾸로 올라가는 우리의 길은 (이 글에 의해) 우리 두 저자의 작업에서 수행성을 현재화시키길 원했다. 이 작업은 우리가 상상력의 '~로서 보기'를 주체의 자신에 대한 실천과 작업으로 이해하도록 해주었다. 이렇게 '실천의 개념'으로부터 우리는 인식론

16 HS, pp. 260-300.

적인 것에서 윤리학으로의 수행적 역전에 도달했다. 이는 관점의 역전, '개념의 실천'을 야기하는 것인데, 이 안에서 우리는 푸코에서 비트겐슈타인으로 가는, '형태학적으로' 서로 멀어지는 새로운 관계를 지각할 수 있는 것이다.

옮긴이의 말

머리말에 "비트겐슈타인과 푸코를 동시에 연구한 우리 젊은 철학자들"이라 지칭된, 그로와 데이비슨의 문하생들의 발표문으로 이루어진 이 책은 일종의 '미완성 교향곡'으로서 푸코와 비트겐슈타인의 만남을 재촉하고 있다. 프랑스 고등사범학교에서 진행된 학술대회의 결과물이기도 한 이 책은, 저자로 참여한 연구자 각각의 개인적인 연구를 토대로 한 것이기 때문에 전체적 내용에 대한 통일적 평가를 내리기가 어려운 편이다. 다만, 언어철학과 윤리학 혹은 정치철학의 관점에서 두 철학자의 사상에 관한 비교적 지평을 열었다는 점에서 이 책에 실린 일곱 편의 논문에 공통된 의의가 있다고 할 수 있을 것이다.

첫 번째 글의 저자인 스테판 외스타슈는 1장의 마지막 부분에서 "최종적으로 우리는 유일한 해답으로서, [방법론상] 일치의 가설도, [반-협약주의적] 계통의 가설도, 그렇다고 해서 [역사 철학적] 대립의 가설도 유효하게 만들 수 없을 것"이라며, 푸코와 비트겐슈타인의 만남에 관한 하나의 가설을 제시한다. 그것은 위에서 열거한 "세 가설들 전부를 응결하는 단 하나의 가설"이라고 할 수 있는데, 저자는 이를 "두 철학자 사이의 갈라짐divergence, 즉 일치도 아니고 대립도 아닌 계통의 특수한 양태로 명명"한다. 1장은 이러한 가설에 근거해 푸코-비트겐슈타인 관계론 해석에 여운을 남기고 있다.

2장에서 루카 팔트리니에리가 지적했듯이 "아마 다른 모든 철학자들보다 더 철학에 대해 '해체적' 소명을 지녔을 19세기적 두 철학자들이 [세계의] 기초를 사건의 형식으로서, 즉 하나의 가능성으로서 사고하기 위해 이를 이론적으로 관찰할 수 있는 사물로 간주하려는 모든 유혹을 동시에 어떻게 포기했는지 확인하는 것은 놀라운 일"이다. 푸코와 비트겐슈타인에게 "철학이 우리가 세계를 '짓는' 인지 모델로서의 기술記述 행위로 제시된다면, 이 행위는 더 이상 인식을 낳을 수 없고 단지 새로운 관점들을 창조해낼 뿐"이다. 2장에서는 이러한 평가를 통해 쇼펜하우어와 하이데거에 각기 암암리에 의거하는 비트겐슈타인과 푸코의 흑역사에 적극적으로 관점주의적 의미를 부여하고 있다.

한편, 3장에서 투오모 티사라는 "푸코의 고고학적 기획을 이해하는 데 있어 중심이 되는 개념, 즉 역사적 아프리오리의 의미를 보다 잘 이해하기 위해 《확실성에 관하여》에서 연결되어 있는 비트겐슈타인의 인식론적 관념들에 집중하겠다"면서 "푸코의 고고학적 기획은 사유 체계들을 그것의 타당성보다는 가능성이라는 조건의 수준에서 연구한다는 점에서 독창적"이라는 등의 주장을 통해 푸코의 문제의식을 강조하고, "비트겐슈타인의 논의는 담론적 실천들의 역사에서 일정 언표들이 기술적이고 규범적인 것 사이에서 행했던 변화하는 역할들에 의거"한다며 푸코의 문제의식에 비트겐슈타인의 입장을 접근시키고 있다. 다른 한편, 4장에서 외르크 폴버스는 "비판 문제로 돌아가는 것이 […] 주체성을 주체가 자기 자신에 대해 가지는 관계인 동시에, 주체의 실천에 대한 관계로서 다시 기초짓는"다며, "이러한 개념화가 '반형이상적'인 논변들의 결과이고, 내재성의 철학을 찾는 데서 유래한다"고 평가한다. 이는 푸코 말년의 주체성으로의 전회를 비트겐슈타인의 '철학하기를 그치는 것'과 유사하게 평한 것이다.

5장에서 코르넬리우 빌바는 "비트겐슈타인의 변화를 소쉬르의 언어 이론에 대한 양보로 보는 것이 가능"하며 "푸코의 고고학은 언어철학에 의해 열린, 소쉬르적 형태의 행보"로 볼 수 있다는 점을 강조하면서 언어철학과 구조주의의 발원적 만남으로서의 소쉬르주의적 해석이라는 접근방식을 선보인다.

또한 6장에서 파올로 사보이아는 "특히 《탐구》에 의거하여 두 철학자가 철학의 실천을 윤리적 자세로서 간주했을 것이라는 사실"에서 시작해 두 철학자의 유사한 윤리적 접근법을 설명하고 있다. 7장에서 오라치오 이레라트는 푸코와 비트겐슈타인에게서 나타나는 "실천의 개념"을 통해 "인식론적인 것에서 윤리학으로의 수행적 역전에 도달했다"는 점을 주장한다. 그런데 이러한 역전은 "관점의 역전"으로서 "개념의 실천"을 촉발한다. 여기서는 두 철학자의 유사점을 넘어 새로운 관계가 지각될 수 있다. 그것은 "푸코에서 비트겐슈타인으로 가는, '형태학적으로' 서로 멀어지는 새로운 관계"인데, 이는 이미 1장에서 제시된 '갈라짐'의 관점을 결과적으로 추인한다고 볼 수 있다.

푸코와 비트겐슈타인의 '만남'이라는 작업은 이 책을 접한 독자들도 느낄 수 있듯이 결코 쉽지 않은 일이다. 이는 1970년대 이래 영미권에서 비트겐슈타인 철학의 '정치화' 작업이 난항을 겪고 있고, 푸코의 언어철학에 관한 연구 작업 역시 미미한 현재 실정과 무관치 않다. 이 주제에 더 관심이 있는 독자는《푸코 비트겐슈타인: 주체성, 정치적인 것, 윤리학 *Foucault Wittgenstein: subjectivite, politique, ethique*》[1]을 읽어보기 바란다.

이 책이 볕을 보기까지 힘써주신 모든 분께 감사드린다.

2017년 여름

---

1 Pascale Gillot & Danielle Lorenzini, *Foucault Wittgenstein : subjectivité, politique, éthique*, CNRS Editions, 2016

푸코, 비트겐슈타인

초판 1쇄 발행 | 2017년 9월 11일

엮은이 | 프레데리크 그로, 아널드 데이비슨
옮긴이 | 심재원
펴낸이 | 이은성
편 집 | 문화주, 이채영
디자인 | 백지선
펴낸곳 | 필로소픽

주 소 | 서울시 동작구 상도동 206 가동 1층
전 화 | (02) 883-3495
팩 스 | (02) 883-3496
이메일 | philosophik@hanmail.net
등록번호 | 제 379-2006-000010호

ISBN 979-11-5783-091-6 93160

필로소픽은 푸른커뮤니케이션의 출판 브랜드입니다.

이 도서의 국립중앙도서관 출판시도서목록(CIP)은 서지정보유통지원시스템 홈페이지(seoji.nl.go.kr)와 국가자료공동목록시스템(www.nl.go.kr/kolisnet)에서 이용하실 수 있습니다. (CIP제어번호: CIP2017021933)